FLIX SPECIAL
『ボーはおそれている』特集＋A24

CONTENTS

02 『ボーはおそれている』作品紹介

12 ホアキン・フェニックス×アリ・アスター監督　特別対談

21 アリ・アスター監督

28 『ボーはおそれている』の制作秘話

42 『ヘレディタリー／継承』の制作秘話

46 『ミッドサマー』精神科医の一考察

56 『ミッドサマー』の制作秘話

68 ホアキン・フェニックス バイオグラフィ

74 ホアキン・フェニックスをよく知るためのキーワード

84 ホアキン・フェニックスの発言集

96 A24最前線

106 監督・出演者が語るA24の魅力『TALK TO ME／トーク・トゥ・ミー』

112 『僕らの世界が交わるまで』

115 『パスト ライブス／再会』

118 『CLOSE／クロース』

122 『ザ・ホエール』

128 『その道の向こうに』

132 『エブリシング・エブリウェア・オール・アット・ワンス』

141 『LAMB／ラム』

144 『アフター・ヤン』

146 『グリーン・ナイト』

150 『ミナリ』

156 『フェアウェル』

158 『ラスト・ブラックマン・イン・サンフランシスコ』

160 『ネバー・ゴーイン・バック』

164 『荒野にて』

166 『フロリダ・プロジェクト 真夏の魔法』

171 『20センチュリー・ウーマン』

174 『ルーム』

『ボーはおそれている』が100倍楽しめる!

いま最もハリウッドで注目されている気鋭の映画スタジオA24と、鬼才アリ・アスター監督が『ミッドサマー』に続き、タッグを組んだ最新作。主演に『ジョーカー』のホアキン・フェニックスを迎えたオデッセイ・スリラーをご覧になるあなたは、監督のさまざまな仕掛けにすべて気づけるだろうか?

Beau is Afraid

『ボーはおそれている』

アリ・アスター監督
×
ホアキン・フェニックス

最狂コンビからの挑戦状

『ボーはおそれている』

『ボーはおそれている』母の呪縛がまねく不条理な地獄めぐり

文＝葵 景

たった2本の映画でファンの心を鷲掴みにした鬼才。ファンというより、もはや信者と呼ぶ方が相応しいのかもしれない。アリ・アスター監督の長編劇場映画第3作『ボーはおそれている』の舞台挨拶付き最速上映ジャパンプレミアのチケットは、2分でソールドアウトしたという。その作品は、過去2作の成功を背景に、アスターが映画製作・配給会社A24から絶大な信頼を寄せられていなければ完成し得なかったと思わせるほど、暴走気味のクセの強すぎる怪作に仕上がった。ホアキン・フェニックスが演じる不安に苛まれた中年男が、周囲にさんざん翻弄されながらも母のもとを目指すという至極単純なストーリー。しかしその旅は、予測不能な「地獄めぐり」へと変容していく。

最大の特質は、ダークコメディの味わいだ。微妙な笑いのセンスによって、異常な状況を客観視させる瞬間のつるべ打ち。恐怖と笑いは常に同居している。湧き起こるアンビバレンツな感情に困惑しつつ、ボーを精神分析するかの如くシーンに込められた真意を読み取るか、それとも、絶え間なく襲ってくるシュールな事態に耐え切れず、付いていくことを諦めるか。観る者の感性が問われている。

暗闇から外界へ。異音と轟音に光の明滅が重なり始めるオープニングは、産道を抜けてこの世を覗く赤ん坊の主観映像。生まれたばかりのボーの様子を過剰に心配し、分娩室で喚き立てる母のヒステリックな声で幕を開ける。その直後、40数年の歳月が経過し、ボーはセラピーに通っている。すっかり髪が薄くなったボーは、どこか幼児性を残した落ち着きのない、極度の不安症を抱えた寂しげな男にな

CLOGGED.
PISS
ANYWHERE
Hail
Dope
Kill Children
Fuck the Pope

っている。ボーを溺愛する反面、威圧的な母モナは、一代で財を成した大企業を率いる実業家だ。ボーの父は、すでにこの世にいない。フラッシュバックする過去は、母との関係性を示すトラウマ。思春期に母に連れて行かれたクルーズ旅行で出会い、淡い恋心を抱いた活発な少女エレーヌとの記憶は、重要な伏線だ。モナとエレーヌという2人の女性は今なおボーの心の大半を占め、トーンもスタイルも異なる4つの章＋αによって、本作は構成されていく。

第1章では、老朽化しきったアパートで引きこもり的な独り暮らしを送るボーを、さらに不安に陥れる周囲の環境が映し出される。そこは狂気と暴力のダウンタウン。いかれた裸の老人やタトゥーだらけの危険な男が、獲物を狙っている。隣人は、深夜になぜか意味不明の挑発を仕掛けてくる。そんな状況下、父の命日に母の屋敷へ向うため、家を出ようとしたボーは、忘れ物を取りに戻った隙に、ドアノブに差しておいた鍵とカバンを何者かに盗まれる。このシチュエーションが、アスターのショートフィルム『Beau（ボー）』（2011）に基づくことに気づいた者は、生粋の信者だ。不安症の男が侵入者の恐怖に怯え、強迫観念を募らせていくイメージに、鬼才は囚われている。

約束に遅れる焦燥感と期待に応えられない罪悪感が幾重にも醸成され、事情を説明すべく電話を掛けた時、母が“怪死”した事実を知る衝撃の展開。ちなみに、スマホ越しに母の死を知らせる配達ドライバーが、コメディドラマ「バリー」の監督・脚本・主演を務める人気コメディアン、ビル・ヘイダーだと認識できる瞬間が、その後訪れるのだが、アイロニカルな配役には笑いを堪えるしかない。

旅の目的が母の葬儀への出席に変わってしまうトリッキーな作劇から一転、第2章は、外科医の家族が暮らす郊外の邸宅が舞台に。先を急ぐ傷ついたボーと親切すぎる夫妻の間で、ブラックなコントのような時間が流れていく。過去2作が従来のホラーの枠組みに収まりきらなかったように、今作もジャンルを特定するのは難しい。幾多の苦難を乗り越えるアドベンチャーであり、命からがら母のもとを目指すサバイバル・スリラーでもあり、やがて、家族を失った者がたどる大いなる神話の様相さえ呈していく。

では、アスターが自ら、これまでの『ヘレディタリー／継承』『ミッドサマー』に『ボーはおそれている』を加えて三部作と称するのはなぜか。視覚的に強烈なインパクトを放つ「頭部が失われた死体」や「屋根裏部屋の秘密」などの共通項は容易に確認できるが、とりわけ重要なのは、最も身近な人間関係、「家族をめぐる生きづらさ」だ。家

JESUS
SEES YOUR

CREAM BAR
Monica

族との関係性によって精神的に追い詰められ、死がドラマを作動させるモチーフとなっていく構造は本作でも貫かれ、それに伴う深い喪失感が三部作の通奏低音になっている。

家族にこだわり続けるアスターの作家的情念は、意外なところでも垣間見られた。ジャパンプレミア舞台挨拶の際、予期せぬやりとりがあったのだ。〝歌舞伎愛〟を公言するアスターに対し、彼の大ファンを名乗る八代目・市川染五郎が花束贈呈のため登壇した時、司会者が「染五郎さんを起用するなら？」と尋ねた。するとアスターは間髪入れず、まず作品概要を「歌舞伎役者の一家の映画で、実は彼らが恐ろしい秘密を隠している物語」と答えたかと思うと、染五郎の役柄を「善人のような顔をしていて、本当は最大の悪人がいい」と言い切った。昨年起きた、あるベテラン歌舞伎役者による両親の自殺幇助事件を、アスターは知っていたに違いない。「地獄の釜の蓋が開いた」と事件当事者の張本人が答えたのは記憶に新しい。血筋と家柄を継承していかねばならない、由緒ある家族形態に縛られた息子の葛藤と崩壊。実にアスター映画的なプロットではないか。

それはともかく、アスターの過去2作は、終盤にいくにしたがって「カルトなコミュニティ」の存在が前面に押し出され、その世界観に戦慄を覚えた。『ヘレディタリー／継承』では、悪魔崇拝の教義。『ミッドサマー』では、ホルガ村の風習。現実社会で苦悩する者が、恐怖の対象であった常軌を逸する価値観を受け入れた時、ある種の「救い」がもたらされたように見える終幕が訪れた。その末路を、ハッピーエンディングと捉えるかどうかは別として。

一方、今作の第3章では、森で道に迷ったボーが女性に導かれ、旅回りの劇団という一種のコミュニティと出会う。彼らは、穏やかなごく普通の旅芸人一座に見える。その芝居を観劇しているうちに、ボーは物語に同化し始める。そして、独特なタッチのアニメーションで描かれる劇中劇の中に、ボー自身が入り込んでしまう演出が際立っている。

アニメ・パートにアスターが起用したのは、チリで製作された悪夢のようなストップモーション・アニメ『オオカミの家』（2018）を監督した映像アーティスト、クリストバル・レオン＆ホアキン・コシーニャだ。ある施設から脱走し、森で子ブタと出会った少女が、さまざまなものに変形していく異様なイメージを描く、美しくも恐ろしいこのアニメは、カルトの実話にインスパイアされている。1960年代に、ドイツ系移民によってチリに創設された「コロニア・ディグニダ」は、表向きはユートピアのような共同体だったが、実は独裁者によって管理され、裏で

は洗脳や拷問、虐待、強制労働が行われていた。つまり少女が変形していく異形のイメージは、洗脳のメタファーだ。アスターがレオン&コシーニャを起用した意図は、森のシーンで芝居の中に入り込むボーが、『オオカミの家』と同様に、カルトによる洗脳状態を表すためではないだろうか。

さて、作品冒頭にA24などと共に出る、見覚えのないロゴについて触れておこう。赤地に白抜き文字の「mw」という楕円のロゴが映し出される。これは、モナのイニシャルが刻印された企業のロゴだ。お遊び感覚で、劇中に登場する会社のロゴを配しただけなのか。いや、そうではないだろう。虚構と現実は混じり合い、この壮大なボーのオデッセイは、母の監視のもとにプロデュースされているという解釈も、的外れではないはずだ。家族におけるトラウマを描き続けてきたアリ・アスターという映画作家の創造的原点を掘り下げるうえで、今後ますます『ボーはおそれている』は重要な作品となっていくに違いない。

『ボーはおそれている』
Beau is Afraid
2023年アメリカ映画
脚本・監督＝アリ・アスター
製作＝ラース・クヌードセン、アリ・アスター
出演＝ホアキン・フェニックス、ネイサン・レイン、エイミー・ライアン、スティーヴン・マッキンリー・ヘンダーソン、ヘイリー・スクワイアーズ、ドゥニ・メノーシェ、カイリー・ロジャーズ、アルメン・ナハペシャン、ゾーイ・リスター＝ジョーンズ、パーカー・ポージー、パティ・ルポーン
撮影＝パヴェウ・ポゴジェルスキ
プロダクションデザイン＝フィオナ・クロンビ
編集＝ルシアン・ジョンストン
衣裳デザイン＝アリス・バビッジ
音楽＝ボビー・クルリック
キャスティング＝ジム・カーナハン
視覚効果監修＝ルイ・モラン
上映時間＝179分
配給＝ハピネットファントムフィルム・スタジオ
2月16日よりTOHOシネマズ日比谷ほか全国にて公開

『ボーはおそれている』特別対談

ホアキン・フェニックス&アリ・アスター監督 最狂コンビからの挑戦状

文＝吉川優子

『ミッドサマー』のアリ・アスター監督と『ジョーカー』のホアキン・フェニックスが組んだ『ボーはおそれている』。最狂コンビの真面目な悪ふざけは、この対談からも雰囲気が伝わるだろう。

――ホアキン、この映画に出演することになった経緯を教えてください。

ホアキン・フェニックス（以下P） 彼らが僕にすごくたくさんのお金をオファーしてくれたから、ノーとは言えなかったんだ。人生においてこれほどたくさんのお金をオファーされたことは、これまでなかったよ。いや、本当はそういうことはしなかったけど。質問は何だっけ？（笑）

――なぜこの映画に出演することにしたんですか？

P アリ（・アスター）と話しただけだよ。脚本を読んだ時、出たいと思わなかった。いや、出たくないかはまだその時点では分かっていなかった（笑）。正直に言って、こう言うと聞こえが悪いだろうけど、出演を決めるのは、ただそのフィルムメーカーと一緒に時を過ごしたいからなんだ。僕は、アリとの会話をとても楽しんだ。どういうことかと言うとね。たとえば、誰かと初めて付き合おうとする時、すぐにデートしたいとは思わないものなんだ。まずは話をして、電話番号を交換する。再び2、3回話をする。それから、朝、目が覚めたら「また話をしたいな」と思う。そしてまた電話をかける。「この人と最高の環境で、充実した時間を一緒に過ごしたい」と思って、ようやく受け入れることになるんだ。そういうことを体験し、そこからセックスを始めることになるんだよ。

——ホアキン、アリと一緒に仕事をしてどうでしたか？

P　とても満足しているよ、正直言って。監督にいつも求めることは、彼らが洞察力に富んでいることなんだ。それと演技することと、経験することの違いを知っていることだ。僕は、長い間、この仕事を続けてきた。だから、僕は時々、演技をすることができる。演技は僕の好みじゃない。でも、時々そうすることもあるんだ。（今作の撮影中に）すごく疲れていたので、ロングショット（被写体とカメラの距離が非常に遠いショット）で撮影することがあった。僕はあまりにも疲れていたので、ごまかしながら演技することができるかが分からなかった。時々できる場合もあるけど。でも、撮影現場では、いろんなことがあったんだよ（笑）。振り返ってみると、それは、ロングショット中の最高にロングなショットみたいだった（笑）。アリは「とても、とても離れたところから撮影するから、君はただ両膝をついてくれればいいんだよ」という感じだった。それから、ただ膝をつく演技をするために、僕らは2時間くらい話し合ったんだ。なぜなら、僕は「そのシーンで家族に会うということは分かっている。でも、膝をつくことはでき

ホアキン・フェニックス
Joaquin Phoenix

「なぜ僕がこんなことをしなければいけないの？
僕は、オスカーを獲ったところなんだよ」

アリ・アスター
Ari Aster

「僕には、
一番バカな人が必要だった」

ないよ」って感じだったからなんだ（笑）。そうした感覚は、僕の中にあるものでもあるけど、一緒に仕事をしている人に触発されることでもあるんだ。一緒に仕事をしている人が、本物の瞬間を作り出そうとしているんだ。ある意味、単なる仕事じゃないんだ。そういうことがあった。アリとの仕事で気に入ったことは、とてもたくさんあったよ。彼はめちゃくちゃ面白いんだ。それは本当に重要なことだ。ユーモアのセンスがある人じゃないと、何ヵ月も一緒に仕事をすることはできないよ。

――アリ、前2作に続いて、ホラー、スリラーのジャンルの作品を予想していた人も多いはずです。でも、今回はまったく違う作品でした。今作をどう表現すればいいのか分かりませんが、ある種の冒険物語を作ったのはなぜですか？

A　この映画をなんと表現すればいいか？　僕も分からないよ。まるで洗濯機みたいなものなんだ。分かる？　洗濯機の中みたいな感じだよ。

――なぜこの映画を作ることにしたんですか？　長い間、この映画を作ろうとしていたことは知っていますが。

A　本当に面白いものを作りたかったんだ。長い間、この映画はくだらないアイディア全ての受け皿だった。僕を笑わせるようなものとかね。それからバカバカしいだけじゃなくて、映画がすごく長くなくちゃいけないと思ったんだ（笑）。その反面、長すぎるくらいじゃないといけないとも。誰もが……。

P　耐えられる長さよりも……。

A　そう。誰もが長さに耐えられる作品よりもっと長いんだ。

P　（笑）そしてあなたは、「くだらないアイディアで埋め尽くそうとしているこの映画に、僕を1人だけ出演させる」と思ったんだ。

A　そうだよ。

P　僕には1人の時間が必要だと。それに応えてくれるのは一体誰なんだ？

A　とてもおバカな映画なんだ。僕には、一番バカな人が必要だった。

P　（大笑）もっともバカな役者で、スケジュールが空いているのは誰だ？（笑）そして一旦その人が出演を断ったから、彼は僕のところにやって来たんだよ。

A　その通りだよ（笑）。

――あなたは長期間にわたって、出演してほしいと頼んだんですよね？

A 「なぜ僕がこんなことをしなければいけないの？ 僕は、オスカーを獲ったところなんだよ。なぜ僕がこれをやるんだい？」と言うような会話を僕たちはたくさん交わしたんだ（笑）。

P （笑）ノー。僕は（今作で）やることが何もないと思っていたんだ。僕は、本当にショックだったよ。この映画の仕事を始めたら、僕はもう疲れ果ててしまった。こんなことになるとは思ってもみなかったからね。僕はただ横になって、「何をすればいいの？ 歩き回るの？ 何も言わないの？ 僕はただこの部屋の中を歩くだけなんだ。それでおしまいだね」って感じだったんだ。（でも実際はとても大変な撮影だったから）こういうふうになることを知っていたの、アリ？

A いやあ。君の役は受け身だからだよ。映画全体で、このすべての災難をただ受け取っているんだ。完全に傷つきやすくなれる人が必要だと分かっていた。僕には、目のようなものが必要だったんだ。それが意味をなすかどうか分からないけど。映画中ずっと叩かれ続けているキャラクターなんだ。これらすべてのものの受け手となる人に完全に愛着がなければ、耐えられないだろう。だから、とても無防備になれて、ある意味裸になれる人が必要だった。このキャラクターはとても、とても……どんな言葉を使えばいいんだろう？ ボーが何者なのかさえ、僕には分からないんだ。この間、僕たちはこのことについて話していたんだ。僕たち2人とも、ボーが何者なのかよく分かっていなかった。いや、それもまた事実じゃないな。なぜなら、ボーは僕だからよ。しかもボーの中には君（ホアキン）もたくさんいる。彼は心の中にたくさんのものを抱えている人なんだ。おそらく彼にとって謎なことが、彼の心の中でたくさん起きている。それが彼の心を揺さぶり続けていることを除いてね。

——あなたはボーのことをどのように見ているんですか？

P それは、腫れた睾丸を持った下品な思考なんだ（笑）。他になんて言えばいいか分からないよ（笑）。簡単に言うとね（笑）。単純なことなんだ（笑）。夢だよ。夢のボートなんだ。

——何か撮影中の印象的なエピソードがあれば話してもらえますか？ あなた自身がスタントをたくさんやったそうですが。

P 僕はやっていないよ。あれはスタントじゃないんだ。俳優が何かをするとき、それはスタントじゃないんだ。僕がただ言いたいのは……。

A　トム・クルーズが怒るかもしれないけど。

P　ノー、ノー。トム・クルーズは俳優だ。彼は演技をするスタントマンなんだ（笑）。分かる（笑）？　彼はとても素晴らしい俳優でスタントマンなんだ、そうだよね？　いや、彼はただ（素晴らしい俳優だ）。でも、言ってること分かるよね？　通常は、本当に危険な場合は、スタントマンが必要なんだ。保険会社がそれをやることを許可してくれるようにね。だから僕は、それらのことをスタントとは呼ばないんだよ。

A　でも（笑）、スタントのいくつかは、僕たちが思っていたよりもうちょっと危険かもしれないと思ったんだ。

P　そうだね、もちろん。でも、それらのことをスタントと呼ぶのは、混同しているように思う。

A　彼はいつも腕に浮き輪のようなものをつけていたんだ。

P　（笑）

A　彼はいつも浮き輪のような装置をつけていたんだよ。映画全体を通してね。何も危険なことが行われていない時でも。セリフだけのシーンでも、彼はいつもそうしていたんだよ（笑）。

――完成した映画を初めて観た時の感想を聞かせてください。

P　僕は、「アリ、僕はちょうどこれからって感じだったんだ。素晴らしいキャリアを積もうとし始めていたところだったんだよ。なのになぜお前と組んだんだ？」というのが最初の感想だった。48歳になってようやく、物事が自分の思うように進み始めていたんだ。その時に、この男と付き合うことになったんだ（笑）。僕にとって、完成した映画と体験が一致することはほとんどないんだ。なぜなら、あるシーン（の撮影）に1日中費やしても、（完成作の中では、それは）2分のシーンで、あっという間に終わってしまうからだ。そうだろう？（撮影中）1日中その中に生きているという体験は、僕にとってはとても強いものだ。とても強く感じる。でも、この映画は、映画制作のさまざまな側面やサウンドデザインなどから、とても直感的な体験ができるようになっていると思う。とても強い視覚体験ができるんだ。普通、僕が映画を観るとき、（撮影した）その日のことを思い出すものなんだ。「ああ、あれは失敗した」と思ったりする。この映画でも、そういう瞬間が確かにいくつかあった。でも、気づくと僕は座席でもぞもぞしていた。不快感や不安感が、とても楽しく感じられたんだよ。

Beau

——あなたたちが脚本に取り組んでいた時……。

P　一緒に脚本に取り組んだわけじゃないよ。彼が脚本を書いて、それから僕が彼に、「これはダメ。あれはダメ」と言っただけなんだ。いや、ダメとは言っていないよ（笑）。

——あなたがアイディアを出したりしましたか？

P　僕はアイディアを出してないよ。僕がアイディアを出すことはないんだ。

——でも、撮影現場で自然な流れでやったんですよね？　監督はすべての動きを事前に決めたりせずに、もっと自然に出来たようですが。

P　ちょうどよかったんだ。ちょうどいい具合に混ざり合っていたよ。どんな映画でも、技術的な側面は必ずあるものなんだ。この映画の中で、とても特殊なこともあった。あなたが僕に携帯電話を落としてほしがった時のことを覚えているよ。僕は「電話なんて落とさないよ」と言ったんだ。そしたらあなたはこう言った。「ああ！　でもそれは素晴らしいカットアウェイ（編集時にうまくつなぐための技法の1つ）なんだ」って。だから、僕は（いやそうに）「あぁ。いいよ」って言ったんだ。それから……僕はそこに座って、そして携帯電話を落としたんだ。僕は「この携帯を絶対に落とさないぞ」って感じだったんだけどね。

A　それからあなたは実際にそれをやった。とても簡単なことだったよね。やってみると、とても簡単だったんだ。

P　分かってるよ。「文句いわずにやってよ」って感じだったね（笑）。

A　君は僕の人生を悪夢にしている。君にただクソ携帯を落としてもらうためだけに（笑）。

P　（笑）僕は今でももっといい方法を思いつけたのでは、と思うよ。

A　でも僕が驚いたのは、彼が思ったよりも自然にやるわけじゃないことだった。チャンスは一度きり、みたいな感じだと思っていたんだけどね。でも、そうじゃなかったんだ。

P　僕は40年間、俳優をやっているんだよ。

A　彼はそれを見つけたい、ということなんだ。いったん見つかれば、それを実現できて、何度も出来るんだ（笑）。それは奇跡のようなものじゃない。魔法みたいじゃない。それは仕事なんだよ。君は努力して、それを見つけないといけない。それを処方することは出来ないんだ。それは僕が回避しないといけないことだった。僕は、「あなたはこの窓際に立つんだ。それがきっと気に入るはずだ」というように、指示することに慣れているからだよ。

P　（大笑）

――この映画を観るのを楽しみにしている日本の観客にメッセージをお願いできますか。

P 日本の人たちへのメッセージを言ってもらいたいの？　いいよ。何て言えばいいの？

――あなたが思われることなら何でも結構です。

P あなたが、あなたらしくいてくれてありがとう。

A アリ・アスターです。日本が大好きです。日本の映画も大好きです。日本の本が大好きです。日本の文化が大好きです。そして、日本の観客の皆さんも大好きです。ありがとうございます。

P それが適切かどうかさえ分からないよ。

A 僕は日本のアプロプリエーション（アーティストが既存の物やイメージを、オリジナルをほとんど変えずに作品に使用すること）が大好きなんだ（笑）。いや、それに僕の映画を持って行く一番好きな立ち寄り先は日本なんだ。僕が『ミッドサマー』で日本に行ったとき、それは素晴らしい経験だった。日本での最後の日、東京で歌舞伎を観に行ったんだ。それが僕の心を強く揺さぶった。それが、ボーの劇のシークエンスの大部分に影響を与えたんだ。だから認めるべき功績を認めないといけない。歌舞伎だよ。

――それは素晴らしいですね。そのことをホアキンと話しましたか？

A いや、彼には話さなかった。

P 僕は、俳優と監督がアイディアを共有すべきだとはまったく思っていないんだ。あなたは僕が観るべきものをたくさん提案した。それで僕は「いやあ。僕はそれらを観るよ」と言った。でも、一度も観なかったんだ。

A 本当だよ。彼はそれをやらなかったんだ。

P 僕たちはそういうふうに足並みを揃えるべきじゃないと思うからだよ。もし少しだけなら……多分（提案されたものを観ないのは）間違いかな？　僕は多分もっとうまくできたのかもしれないかな？

A それは、彼が僕たちはそのように足並みを揃えるべきだと考えていないのが半分で、単なる怠慢のようなものが半分あるんだと思う。

P そうかもしれないね（笑）。僕は怠慢なんだ。２年間で３日休んだだけなんだ。とても怠慢だ。本当だよ（笑）。

――長年かけて作った作品がいよいよ公開されるわけですが、今の気持ちを聞かせてください。

A 僕はこの映画をとても誇りに思っている。これを作ることが出来て、とてもうれしいよ。ある意味、（作れたことが）信じられないんだ。

アリ・アスター監督「ホアキンは今作に、自分が興味のある場所に行ける機会を見たのだと思う」

文＝吉川優子

――今作の主題である心理的な問題はとても複雑ですが、なぜこれほど面白い作品にしようと思ったのですか？

アリ・アスター（以下A） それがこの映画の本質だったんだ。この映画は、ある意味、常にコメディだった。でも、コメディを作ると決めて、それを自分の好きなことを何でもできるような架空の世界に置くというのは、とても開放されることだったよ。もっと地に足の着いた世界には合わないような、多くのさまざまな衝動を追うこともできた。それらのことにまとまりがあって、残りの部分と調和している限りはね。そういうふうになっていればいいなと思う。

――多くの人が、今作がこれまでとはまったく違う作品であることに注目しているようです。コメディということで。今作と『ミッドサマー』や『ヘレディタリー／継承』との間に直接的なつながりはありますか？ 例えば、これらの作品はすべて、混乱した家族を描いているように思えます。『ミッドサマー』は、以前、オチにつながる大きなジョークのようだとおっしゃっていましたね。これら3作品に共通点を見出すことはできますか？

A そう、間違いなくね。ある意味、化学反応のようなものなんだ。でも、前2作のパロディとして機能しながら、より深いところまで踏み込んでいると思う。多分、パロディとして始まり、その後、何か別のものに発展していったような感じだと思う。僕はいつも、この作品を非公式な3部作のようなものだと考えていたんだ。次にやろうと思っている作品は、この3部作からもっと切り離されたものだと思う。（この3部作は）、家族という問題に、親であること、子供であることの重荷に取り憑かれているようだった。ただ誰かと関係を持つという重荷にね。

——とても可笑しい瞬間がたくさんありますが、それらはまた同時にとてもショッキングな瞬間で、ホラーのような瞬間でもあります。このホラーと可笑しさの組み合わせは、これまで観たことがないレベルのものです。あなたが脚本を書いていたときに、笑いを期待していたところで観客は笑いますか？　それとも、サプライズとして、あちこちで笑いが起きますか？

A この映画の脚本を書く過程は、自分自身を笑わせることだったんだ。僕は、これを書くことで自分自身を笑わせていた。観客と一緒に観たのは、数回だけなんだ。でも僕は、この映画を観た観客がたくさん笑っていることに満足したと言える。そして、時折、沈黙が訪れる。それは困ったことだ。

——以前の作品は、物事が起きた順番にストーリーが進んでいく構成になっていました。でも今作は、4つの設定といくつかの短い場面があるみたいです。なぜこのような実験的な方法でやることにしたんですか？

A 分からないよ。もしフォーム（形式）の実験を止めてしまうようなことがあったら、あなたは一体なにをしているんだ、ってことだよ。型にはまった物語をやるのはとても退屈なんだ。あなたはそう思わない？　僕は先がすべて読めてしまうような、とても見慣れた形の映画を観るのは退屈なんだ。次に何が起こるかを予想できる、ってことでさえない。僕は、脚本についての本を読んだことがある人が多すぎると思うよ。

——ボーは不安感にさいなまれ、人生を生きることがほとんどできない状態になっています。あなたにとって、彼が偉大な主人公である理由は何ですか？

A 僕は彼のことを「偉大な主人公」とは呼ばなかったよ（笑）。でも多分、僕にとっては、真相を解明する価値のある人物だったんだ。僕はこの映画は、「満たされない空虚な人生」を描いていると思う。それが、僕が考えていたこ

AFRAID
16 FRI

FRAID

となんだ。そして、ボーはそういう衝動から生まれたんだよ。

――『ジョーカー』と『ナポレオン』の間にいるホアキンに、さらに問題を抱えたキャラクターを演じさせることを、どのように説得したのですか？　また、彼とのコラボレーションを振り返ってどう思いますか？

A　正直なところ、彼がこの映画に正式に参加する前に、僕たちはたくさんの会話を交わしたんだ。その会話の中で、僕たちは本当に仲良くなれたというのが一番の理由だったと思うよ。僕たちは、仕事に対して同じような見方をしていたと思う。彼は仕事にとても真剣に取り組んでいるけど、同時にとても遊び心があり、遊びたいんだ。彼は今作に、自分が興味のある場所に行ける機会を見たのだと思う。

――ホアキンと、彼のルックスや身のこなし、髪型や声など、あらゆることを話し合ったということですね。彼のボーに対する考え方は、あなたと似ていましたか？　また、彼とどのようにコラボレートして、さらに良いものにしたのですか？

A　僕たちは一緒にルックスを作り上げたんだ。一緒に取り組んで、多くのことをいろいろと試してみた。ヘアスタイリストに来てもらって、いろいろな髪型を試してみて、彼の髪型をいじりながら、どれが適切か検討したんだ。物

事をより良くする方法は、話して話して話しまくることだよ。ひたすら話し続けるんだ。それから、もうすべてを話し尽くしたと思った時、さらに話し続けるんだよ。

──『ミッドサマー』のように、この映画には北欧の要素がたくさん含まれていると思いました。私はもちろん彼が森を歩いているところについて考えています。スウェーデンの、あるいは北欧の夏の夜のような感じです。映画の中の劇は、まるでグリム童話のようです。そのインスピレーションは何だったのでしょうか。

A ああ……確かにそれは分かるよ。この映画はそのセクションで、よりおとぎ話のようになるんだ。分からないけど。意識的にやったことだとは言えないけど。でも、そうだね（笑）。僕はスカンジナビアは大好きだよ。あそこから生まれた多くの芸術は、僕にとって意味深いものだった。『ミッドサマー』を観れば、それが明らかだと思う。

──今作は、前2作よりもはるかに壮大で、長い作品です。撮影は60日以上行われたそうですが、この大作を作るにあたって、映画監督として直面したチャレンジについて話してください。

A スケールの問題があったんだ。もっと大きな作品だから、より多くのセットを建てる必要があった。デザインするものも多くなる。キャストも増える。しかも、ホアキン以外のキャストは、ずっといるわけじゃない。だから、1人か2人の俳優と信頼関係を築いて、彼らのことをよく知るようになり、彼らと（の仕事が）絶好調というところで、突然彼らが去ってしまい、今度は新しい場所で新しい俳優たちと一緒に仕事をすることになる。彼らのことをよく知る必要があるんだ。リセットすることがたくさんある。何度も、何度もやり直し、自分のペースを見つけないといけない。前の2作では、いくつかの例外を除いてほとんど1ヵ所で撮影していた。その利点は、環境に慣れて、それで自信がつくことなんだ。でも、新しい環境に放り込まれるといつでも、再び自分の感覚を取り戻して、それに慣れ親しまないといけないんだよ。

──今作は、あなたのトラウマ史学を極限まで追求したものです。なぜなら、この世界全体が、家族の罪悪感や一般的な罪悪感に押しつぶされたキャラクターにとって罰のように感じられるからです。あなたのこれらのテーマの組み合わせは、この映画の結末でピークに達したと感じますか？

A 多分ね（笑）。おそらく。僕がこれ以上、（何が出来るか）分からない。あのタオルから他に何を絞れるか分からないよ。

――よく、ホラーとコメディは表裏一体とか、脳の同じ部分から生まれると言われます。あなたもそう思いますか？　なぜなら、今作はあなたの最も可笑しい映画ですが、ある意味、最も不穏で、苦痛で、観るのが難しい映画でもあるからです。あなたは、すべては同じところから出て来たものだと思いますか？

A　そうだね。そうだと思うよ。どちらのモード（コメディとホラー）も、セットアップ（入念に計画する）とオチに帰結すると思うんだ。厄介で心配させるようなシナリオによってお膳立てされ、それはさまざまな方法でうまくいかなくなる可能性がある。観客を動揺させたり、怖がらせたり、不安にしたりするはずのどんなことが明らかにされるのか？　僕はハワード・フィリップス・ラヴクラフトのことを考える。彼のとても多くの物語のように……次に目にするのは、すごく恐ろしく、不気味で、骨まで凍りつくようなことなんだ。もちろん、そういうことをすればするほど、読者や観客の心の中に蓄積されてきたものを満足させるのはさらに難しくなる。でも、そこにはまだオチがあるんだ。そうだよね？　築き上げてきたものに対する答えは何なのか？　それが、ジョークの仕組みなんだ。そうだろう？　そういうことだよ。

――この映画を観て、あなたの短編映画『The Strange Thing About The Johnsons』を思い出しました。そのグロテスクさとサディスティックなトーンを外在化したようでした。あなたはそういうことを考えていましたか？　それとも意図的ではなかったのでしょうか？

A　この映画が『The Strange Thing With The Johnsons』を思い出させたって？　そう言ってるの？　言っていることは分かるよ。僕は、あまり同じことを繰り返さないように気をつけないといけないね。

――いいえ。ただああいうトーンや風刺、家族の悲劇、そしてすべてのグロテスクなもののことを言っているんです。ほとんど、あのストーリーの進化版と言えるかもしれないと思いました。

A　そうだね。それは納得できる。なぜなら、僕が両方の作品を作ったんだから。ただ、僕は決して「そろそろあの領域に戻って、あそこでやっていたことを研ぎ澄ませる時期だ」とか、「やっていたことをさらに膨らませよう」と思うことはないんだ。好むと好まざるとにかかわらず、自分自身であることしかできないからね。良くも悪くもね（笑）。

Production Note 撮影の舞台裏

最も独創的な映画人の1人、脚本・監督のアリ・アスターによる最新作『ボーはおそれている』の制作の裏側を紹介する

構成＝編集部

アリ・アスター監督による支配と継承そして逃避のめくるめく映像

今、最も独創的な映画人の1人、脚本・監督のアリ・アスター監督による新作は、夢か現実か分からない未知への旅を描く。母親を訪ねようとして邪悪な力の世界を発見し、見えざる目に動きを監視される男性の物語だ。意味深長で、現代社会における感情的なカオスと蓄積された不確実性に正面から立ち向かう『ボーはおそれている』で、主人公は歴史の終わりの淵を旅して、いたるところで恐怖とユーモ

アと遭遇する。

市内のアパートで一人暮らしをしている小心者のボー・ワッセルマン（ホアキン・フェニックス）は、悪夢のような日々を過ごしている。不安と妄想に陥りがちなボーは、長らく通っているセラピスト（スティーヴン・マッキンリー・ヘンダーソン）から、近いうちに母親（パティ・ルポーン）を訪ねるよう発破をかけられる。しかし、出発前夜に大騒ぎが起こり、ボーの人生はシュールで新たな方向へと激変。おかしくなってしまった世界で目的地にたどり着くことができず、地図に載っていない道を旅しながら、ボーは今までの人生で、これまで近しかった人たちにつかれたウソに直面することを余儀なくされる。

『ヘレディタリー／継承』と『ミッドサマー』のクリエイターが作り出しているのは、支配と継承そして逃避のめくるめく映像。それはボー・ワッセルマンが体験した記憶に深く刻まれた印象深い世界だ。壮大で、オデュッセイア的な冒険談であり、不安症の主人公を詳細に描いた『ボーはおそれている』は、空疎な人生に関するキャラクター研究であり、自分を取り巻く状況や家族、自己の内面に存在する問題に対処するのが苦手な男性が巡る英雄的な旅である。素朴で心理的な、アスター監督の3作目はブラックユーモ

ア満載の大作映画で、非常に現代的でありながら、かなり古い感じもする。レールから外れた人生を顕微鏡で観察したかのような作品だ。

「アリ・アスター監督は、私たちが今、体験している悪夢とは違ったカフカ的な悪夢を見せる」とボーの幼なじみエレーヌを演じるパーカー・ポージーはこう語る。「町をさまようこと、家の中で生活すること、親に対する恐怖心、文化と資本主義の騒乱が意味するもの、そのすべてから救済される方法をボーは一心不乱に模索しているの」

珍しい方法で主人公ボーに命を吹き込むホアキン・フェニックス

アカデミー賞受賞俳優ホアキン・フェニックスが卓越した演技力で、1つのシーンの中で肉体的にも感情的にも精神的にも息つく間もなく変容し、架空のキャラクターとしては珍しい方法でボー・ワッセルマンに命を吹き込む。

「ボーは成長を著しく阻害されてきた」とアスター監督は言う。「彼の中には、まだ解決していないことや理解できていないことがたくさんある。不安にさいなまれ、自分の殻から抜け出せず、思春期のような状態が続いているんだ」

エディプス的なテーマがふんだんに盛り込まれた『ボーはおそれている』は、阿鼻叫喚で大混乱の出産シーンから始まり、この映画の中心である母と息子の関係がすぐ明らかになる。むしろ、ボーが母親モナの子宮にいた頃から緊張をはらんでいる。大人になったボーは心に深い傷を負っていて、名もなき町の荒れ果てたアパートで暮らし、威圧的な母親と父親の不在という重荷を背負っている。彼の遺伝的運命から次々に生まれる滑稽さが本作の見どころの1つだ。

アスター監督は語る。「ボーとモナの関係はぎくしゃくしていて、2人の関係の本質がこの映画の大きな謎なんだよ」

両親が自らの不安を子に投影するなら、ボーは映画で描かれる最も印象的なキャラクターの1人であり、モナが抱く恐怖と息子への期待を激しく衝動的に反映している。つまり、ボーの人生は邪悪でユーモアに満ちた最悪のシナリオの連続で、電気火災や軽犯罪、なれなれしい他人、旅回りの劇団や、それ以上にひどいことに悩まされる。母親を心配させるには十分だが、ボーが一番恐れているのは母親を失望させることなのは明らかだ。もし彼が誤った選択をしてしまったら?

『ボーはおそれている』の冒頭で、モナが何よりも息子に望んでいるのは、飛行機に乗って彼女に会いに来ることだが、2人の間には物理的かつ心理的な障壁がある。映画の途中で挿入されるフラッシュバックで13歳のボー少年を演じるアルメン・ナハペシャンは語る。

「2人の関係は複雑なんだ。モナはたくさん愛情を注ぐけど、その愛は制御不可能で、与える側と受け取る側の間に怒りと恨みを生む。ボーを支配するのがモナの愛し方だ。ボーは感情を表すのが苦手で、愛情を示したり愛に報いたりするのに苦労する。モナはそれを当てこすりだと思う」

罪悪感に満ちた人生が壮大な神話的ストーリーで描かれる

アスター監督が『ボーはおそれている』のアイディアの種を得たのは、10年ほど前のロサンゼルスだった。大ヒット作『ヘレディタリー／継承』と『ミッドサマー』以前のことで、当時、彼はダークコメディの短編映画の脚本・監督をしながら、初長編映画について様々なアイディアを練っていた。賃貸契約が残り1日という退去ギリギリのタイミングで、アスター監督はある男のアイディアを思いついく。自分と同じようなアパートに住み、不安症の怖がりで、母親を訪ねようとしているが、たどりつけない男だ。

初期の原稿は基本的に思いつくことを自由に書いたものだったが、アスター監督はギリシャ神話、ボルヘス、ウェルギリウス、カフカ、スターン、セルバンテス、テネシー・ウィリアムズなどから多くの文学的影響を受けているという。彼は長年この物語に取り組んでおり、この脚本がアイディアの受け皿となっていた。主人公はボーと命名され、母親は典型的なフロイト主義者でダークコメディ的な要素がある。子供の悩みや不安の原因であり、責任を負っているのは彼女だ。罪悪感に満ちた人生が壮大な神話的ストーリーで描かれる。

「元々『ボーはおそれている』は純然たるパロディだった」と語るアスター監督は、ホラー映画2本の脚本が軌道に乗るとすぐ、中断していたこの脚本の完成に取り組んだ。「僕の初監督作にしたかったけど、初稿はもっとふざけていて漫画的で、感情を抑えたものだった。ストーリーが膨らんでも、ずっと最悪なフロイト的ピカレスク作品だったけどね」

その後の数年間で、アスター監督はモダンホラーの傑出した巨匠の1人としての地位を確立し、トラウマ級のショッキングな2本の作品によってホラー映画の概念を変えた。『ボーはおそれている』と前作に共通するのは、迷惑な遺産や暗い家族、強いプレッシャーだ。そして、キャラクターたちの物の見方だけでなく、自分を見る目も恐怖によってゆがめられる。2作目が完成した頃には、アスター監督は、今、世界が求めているより壮大な作品を撮る準備はできていると感じていた。

「『ミッドサマー』の後、『ボーはおそれている』を作る時がきたと感じたんだ。徹底的にリライト作業を行い、最初の原稿とはまったく違うものに仕上がったけど、そのDNAは何も変わっていないよ」とアスター監督は語る。

アスター監督の最初の2作品が人々の琴線に触れた理由のひとつは、家族とそれを壊すものを鋭く理解していたからだ。『ボーはおそれている』はアスター監督にとって、これまで以上に壮大なスケールの作品であり、我々が生きている奇妙で不安な時代を素朴で雄大な物語へと巧みに作り上げた。

この映画の中心的なアイディアと感情的な核は、成長を阻害された主人公の目を通して人生を伝えることだった。他人や世界の仕組み、自分の本質に対する彼の根源的な恐怖は、完全に正しいことが明らかになる。アスター監督は、こう説明する。

「探求しているのは、ボーの人生ではなく彼の経験だ。観客には、彼の頭の中に入って、感情を肌で感じてもらいたい。できれば細胞レベルでね。主人公と同じ気持ちになって一緒に行動するけど、彼が歩む道をたどるというより、彼の記憶や幻想、恐怖を体験するんだ。これはボーの人生を体験する映画だよ」

前作が高い評価を得て商業的に成功し、人気を博したにもかかわらず、アスター監督は新作『ボーはおそれている』を、映画製作者としての自分の限界を押し広げる理想的な手段と考えた。

「この作品は今までに手掛けたどの作品より僕らしい作品だ。僕の個性とユーモアがたっぷり詰まっているよ」

本作の第2部で、心優しい外科医の妻グレースを演じたエイミー・ライアンが補足する。

「アリの目的は、ホラーとユーモアの世界を行き来する漆黒のダークコメディを作ることよ。そして、彼は見事にそれを成し遂げた。陰鬱さと面白さが同居していて多面性がある作品よ」

4つの章と2つの追加シーンで構成される

アスター監督の前作『ミッドサマー』の主人公の大学生ダニー（フローレンス・ピュー）と『ヘレディタリー／継承』の主人公のミニチュア模型アーティスト、アニー・グラハム（トニ・コレット）は、それぞれ言葉では表せない

家族のトラウマから逃げ出し、母親不在だった。ボーの場合、見方によっては、母親に持て余すほどの存在感がある。モナは高圧的で、大きな成功を収めていて、遠く離れた場所から息子の精神的な生活を心から気にかけている。そしてボーは何よりも母親の元に行きたいと願っている。

前作での問題を抱えた母親との関係を逆転させることで、今回、ボーの旅は地獄というより精神的邂逅となり、家にたどり着く途中で立ちはだかる数々の試練と苦難の真相に迫るため、彼は自らの過去に向かってまっしぐらに突き進む。本作は4つの章と2つの追加シーンで構成される。母と息子の関係を決定づけたクルーズ船のフラッシュバックシーンと謎めいたラストシーンだ。アスター監督が説明する。

「従来の映画の構造から抜け出して、小説みたいに感じる物語にしたかった。型にはまらない、ある意味、常識破りな、もしかすると直感で理解できる作品にしたかったのかも」

アスター監督は撮影のパヴェウ・ポゴジェルスキと再びタッグを組んだ。物語の各章は、私たちが生きている世界をビックリハウスのゆがんだ鏡で見たように描かれている。ボーは都会から郊外、地方へと移動し、旅する場所と風景が変化する。『ボーはおそれている』はピカレスク的だ。メチャクチャになってしまった世界で、風采の上がらない主人公が冒険する様子が様々なエピソードで語られる。

物語の冒頭で、ボーは荒れた地域にあるアパートで一人暮らしをしていて、依存症や大量消費、暴力、狂気に満ちた日々のストレスを何とかやり過ごしている。事故の後、ボーは富裕層が暮らす郊外で、ネイサン・レインとエイミー・ライアンが演じる外科医とその妻の息子代わりとなる。夫婦の愛する長男は戦死し、ティーンエイジャーの娘は精神的にボロボロになっている。

陽気な外科医ロジャーを演じたレインが語る。

「カフカ的な第1章が物語全体を構成し、第2章はブラックコメディのような展開。ミステリアスな第3章は、さらに知的かつ超現実的になり、ラストの第4章では誰も予測できない場所にたどりつく」

　フラッシュバックシーンでは、アルメン・ナハペシャン演じる少年のボーが登場し、不安なプレティーン（10〜13歳の若者）と支配的な母親（ここではゾーイ・リスター＝ジョーンズが演じている）の複雑な絆が築かれる。2人を混乱させるのは、自身も母親との問題を抱えている反抗的な13歳のエレーヌだ。子供同士は親しくなるが、エレーヌは母子の絆から逃れようと決意し、ボーは逃れられない。やがて彼らは離れ離れになる。

「エレーヌとボーは正反対だ。彼女は強引で騒々しくて、自分の意見を口にするのを恐れない」。ナハペシャンはこう続ける。「ずっと支配されて育ってきたボーは、それまで女の子と付き合ったことがなかったから、エレーヌに何を言われても従う。彼女がボーに生まれて初めて楽しさを教えてくれるんだ」

　ボーが過去と現在から逃げ出すと、映画はミステリアスな第3章に突入する。森に入り込んだボーは旅回りの劇団と出会い、個人的かつ心理的な新時代の芝居を見る。アスター監督が語る。

「彼は催眠状態で芝居に入り込み、もし自分がもっと活発な人間だったらどんな人生だっただろうと想像する」

キャラクターに命を吹き込んだホアキン・フェニックス

　改訂した脚本が完成すると、アスター監督は複雑なボー・ワッセルマンを体現できる俳優候補のリストを作成し始めたが、ホアキン・フェニックスが興味を持ってくれるとは思いもしなかった。近年、トッド・フィリップス監督による陰鬱な都会の大虐殺を描いた作品でジョーカーを演じ、アカデミー賞を受賞した俳優だ。彼はリドリー・スコット監督の映画にナポレオン役で出演する契約もしており、アスター監督の3作目に出演をＯＫしてくれる見込みはほとんどなかった。

　だがアスター監督が驚いたことに、フェニックスはこの役を気に入り、これまでに彼が演じたどのキャラクターよりもボー・ワッセルマンを特別にすべく念入りな準備を進めた。アスター監督が語る。

「一緒に仕事をする前、ホアキンは世界で最も素晴らしい俳優だと思ってた。今では、彼は僕の想像以上に素晴らしい俳優だと思っている。今まで俳優と仕事をした中で、最高の経験になったよ」

　ウディ・アレン監督のコメディ『『教授のおかしな妄想殺人』でフェニックスと共演したパーカー・ポージーは、

彼がボー・ワッセルマンに命を吹き込むのを見て感銘を受けた。

「彼の演技はダイナミックで、複雑で堂々とした役も演じられる。まるで彼自身がモンスターであるかのごとく、どう猛で複雑で恐ろしいの。ホアキンは役作りのために大変な努力をして、体を追い込んでいた」とポージーは語る。

　アスター監督とフェニックスは力を合わせて、キャラクターに命を吹き込んだ。製作前も製作中も数えきれないほど脚本を熟読し、キャラクターの態度や見た目、服装、声の感じなどについて話し合った。アスター監督が思い返す。

「ホアキンは俳優が思いつく限りのありとあらゆる質問をして、とことん脚本を読み込むのが好きだ。僕らは撮影前も、撮影中の現場でも話し合いながら、手探りで映画を作った」

　フェニックスはどのシーンでも全力で役に取り組み、傑出した演技を見せた。彼は大半のスタントを自ら行い、ジャンプしてガラスを跳び越えたり、屋根裏部屋から落ちたり、一日中スタントパフォーマーとバスタブの中で激しく転げ回ったりした。アスター監督いわく、「ホアキンは俳優として、どんな時もキャラクターをできる限り体現したいんだ。彼は謙虚で、全力で役に臨む」

　フェニックスと仕事をする以前のアスター監督のやり方は、撮影現場に来る前にシーンの動きをつけ、あらかじめ俳優とカメラの位置を決めておくというものだった。アスター監督が説明する。

「僕はそのやり方をやめて、どんなシーンにするかは頭の中でイメージを思い浮かべるだけにした。そうすれば、ホアキンが撮影でいつどんな演技をしても受け入れられるからね。いつも僕の想像を超える、素晴らしいシーンになったよ」

　肉体的にもボー・ワッセルマンに変身したフェニックスの役作りに、パーカー・ポージーをはじめ現場の全員が驚いた。

「私のトレーラーに入ってきた人の姿がちらっと見えた時、清掃スタッフかと思った。どことなく悲しげで不気味な感じの人だった。それがホアキンだと気づいて、私は悲鳴を上げて笑っちゃった」とポージーは語る。

　情緒不安定なボー・ワッセルマンになりきる様子に共演者たちは感服し、自由自在にオンとオフを切り替えられる能力に驚嘆した。エイミー・ライアンが語る。

「ホアキンに会う前は、彼がずっとキャラクターになりきるタイプの俳優だと思っていた。だからカメラが回っていない時も、『ホアキン』じゃなくて『ボー』と呼ぶように気をつけなきゃってね。でも実際は違っていた。私たちはホアキンがリーダーのいたずらっ子軍団みたいで、撮影が始まるのを待つ間、彼はみんなを笑わせていた。でも『アクション！』の声がかかると、彼は一瞬でキャラクターに深く入り込める。彼にはそんな奇跡的な才能があったの」

アスター監督は様々な業界から集めた超一流の俳優陣で脇を固めた。ブロードウェイからはトニー賞にノミネートされた役者やトニー賞受賞の役者、そしてネイサン・レイン、エイミー・ライアン、パティ・ルポーン、スティーヴン・マッキンリー・ヘンダーソンらだ。

「異なる世界それぞれに人材が必要だったから、脇を固める俳優たちは重要だった。僕が前々から一緒に仕事をしたいと思っていた人たちを迎えることができたよ」とアスター監督は語る。

アスター監督にとって特に印象的だったのは、熟練のプロたちがフェニックスとぶつかり合い、白熱した演技を見せる瞬間だった。フェニックスは自分本位な俳優とは正反対だとアスター監督は評する。

「それぞれの俳優たちのプロセスが、ホアキンのやり方と融合したり、引き立たせたり、衝突したりするのを見るのが面白かった。でも最後には、いつもいい結果をもたらし

たよ。ホアキンは寛大な相手役で、共演者たちに本当に多くのことを与えてくれる」

モントリオールで行われた撮影

『ボーはおそれている』の撮影はモントリオールで行われた。都市部から郊外、地方へとさまざまなロケーション撮影を行い、複合的な物語の世界を表現した。生き生きとした多様な世界を作り上げたのは、アカデミー賞にノミネートされたこともあるプロダクションデザイナーのフィオナ・クロンビー（『女王陛下のお気に入り』）。都会の通りをボーが暮らす近隣地域に変え、また彼が旅の途中で立ち寄る場所を作るために、まったくタイプの異なる2軒のモントリオールの家を探し出してきて装飾し、また映画の中盤で出てくる森の迂回路用に、キャップ・セント・ジャックにある自然公園に野外劇場を作った。

「アリの脚本で最も興味深かったのは、出来事から出来事へ、場所から場所へとストーリーが進み、ビジュアルの変化によって、自分もボーと一緒に旅をしているように思えるという点よ」とディズニーの『クルエラ』でプロダクションデザインを手掛けたクロンビーが語る。「視覚的に動きがある、コンテンポラリーな環境で仕事をするのは楽しかった。様々な世界をつなげて、1つの世界観を作り上げる方法を探すのは、ワクワクするような挑戦でした」

目に見えるものすべてに理由がある

『ボーはおそれている』は名もなき町から始まる。ボーが孤独に暮らすアパートの周辺は暴力がはびこっている。「ボーはすぐそこから追い出されて旅に出るのは分かっていたけど、映画の冒頭は強いインパクトのある場所で始める必要がありました。オープニングシーンで重要なのは、ボーの心の状態と、どんなところに住んでいるかを示すことなんです」とプロダクションデザイナーのクロンビーは

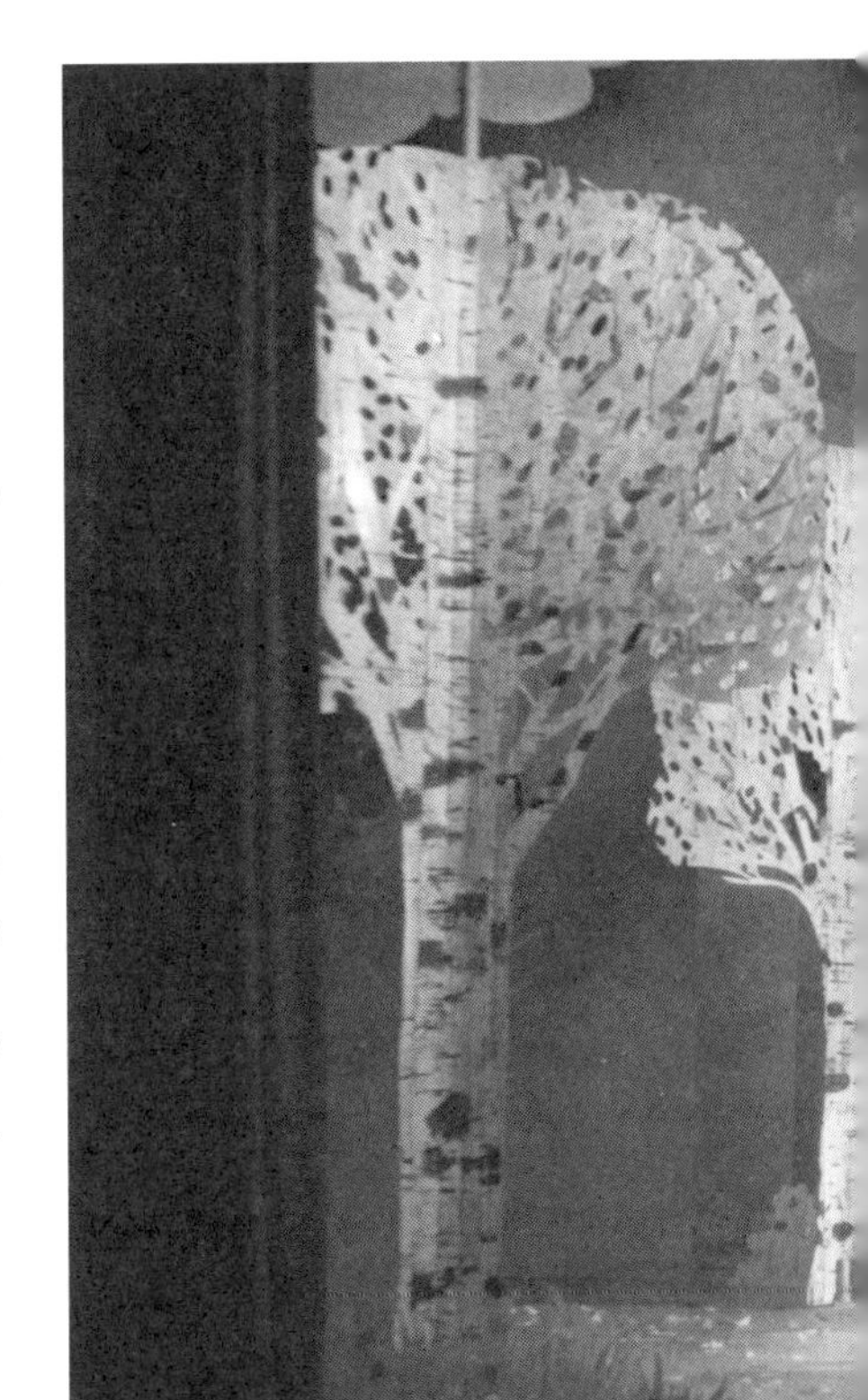

語る。

母を訪ねるため一刻も早く飛行機に乗らないといけないのに、ボーは隣人たちの下品な悪ふざけに巻き込まれる。ポルノショップ、薬局、みすぼらしい映画館、コンビニがひしめく通りには、気の向くままに他人につきまとい刺してくるような裸の男や薬物依存者やイカれた浮浪者たちが惨めに暮らしている。

クロンビーが説明する。「この映画の危険な雰囲気が気に入りました。最初から脚本に書かれていたのです。私は何か新しいものに挑戦する覚悟がある映画製作者と仕事をすることに興味があります。アリと一緒に仕事を始めて、これはとても深みのある作品だと気づきました。何かを調べるよう頼まれたことは今まで一度もありませんでしたが、今回、初めてボーの旅について調べたんです」

クロンビーとデザインチームは、アスター監督が思い浮かべているヒエロニムス・ボスの絵のような大量消費主義が暴走する、幻想的で怪異なイメージを反映するため、両側に小売店が並ぶ街区を使い、すべての建物の外観に手を加えた。クロンビーは語る。

「アリの作品には偶発的なものは何もありません。看板も落書きも店先の様子も、目に見えるものすべては理由があるからそこにあるんです。物語の後半で明らかになる何かを示唆するよう、ありとあらゆるものが、かなり独特な方法でデザインされています」

看板など冒頭のシーンに登場するものは、店舗の外観や玄関ホールの下品な落書き、架空の映画を宣伝するポスター、食品のパッケージを含めて、ゼロから作られた。アスター監督は製作の準備段階で何時間も費やして、店の名前や商品を考え、それらを反映させた広告をデザインした。

「ボーの世界を細部まで構築することに夢中になってしまい、製作の準備段階で映画のグラフィックデザインに打ち込めなかった。ちっとも終わらないので、デザインチームはおかしくなりそうだったよ。セットが完成したと彼らが思うたびに、僕がポスターや本の表紙、看板、広告を手に戻ってくるんだ。この退廃した漫画のような世界を細部までこだわって作るのは楽しかった」とアスター監督は語る。

オープニングシーンの室内撮影は、精神科医のオフィスとロビー、廊下、それからボーの住むアパートの部屋まで、クロンビーのチームがサウンドステージに作り、うまく飾りつけた。「アリの映画は見た目だけでなく、細部の装飾にまでこだわっています。棚の本やボーのインスタントの冷凍食品の名前にいたるまで、すべてにアリらしさがあります」とクロンビーは語る。

監督のこだわりによって細部に至るまで精巧に作られた住居

『ヘレディタリー／継承』や『ミッドサマー』のファンなら、アスター監督が建築にこだわっているのを知っていて、それらの映画では細部に至るまで精巧に作られた住居や神殿に感銘を受けたはずだ。だが『ボーはおそれている』では、モントリオールで見つけた実在する家をクロンビーのチームが飾りつけて、ボーが旅の途中で滞在する様々な場所を表現している。

緑豊かな郊外にある一軒家は、ボーが事故の後で静養する中継地点だ。もう1つの家は謎めいたブルータリズム建築のシャープな建物で、ボーの家族にまつわる過去の秘密が隠されている。クロンビーは、このようなロケ撮影に使える家を探した。キャラクターたちを室内の定められた位置に配置できて、カメラもスムーズに移動させることができ、撮影に必要な照明環境がある場所だ。

外科医のロジャーと妻グレースの家のロケ地としてチームが探したのは、家の中も外も見通しのいいモダニズム建築の家だった。クロンビーが説明する。

「ボーの旅の2つ目の滞在場所として、人が長く住んでいて円滑に機能する郊外の理想的な家を早急に見つける必要がありました。ボーが今までに経験したことがないような感覚を味わい、同時に彼が滞在して静養できる場所で、幸せになれるかもと思える理想的な家です」

クロンビーはモントリオール郊外で、たくさん窓があるガラス張りの家を見つけた。キャラクターたちが動き回っても、ドアを出入りしても、部屋から部屋へ移動してもよく見える家だ。次第に緊張感が高まり脅威と混沌が訪れると、ロジャーとグレースの娘トニ（カイリー・ロジャーズ）や情緒不安定な同居人ジーヴス（ドゥニ・メノーシェ）が動き出す。

「ボーは、プライバシーがまったくないというくらい見られている。家の中でも外でも、家族が彼の動きを逐一、見ることができる状況が必要でした」とクロンビーは語る。『ボーはおそれている』に登場する2つ目の家は、撮影の準備も整ったギリギリのタイミングで見つかった。クロンビーいわく、「この家の条件は複雑でした。贅沢すぎても華やかすぎてもダメで、特定のキャラクターの富と地位にふさわしい家が必要だったんです」

喜ばしいことに、ロケハンで見つけたのは、アスター監督が『ヘレディタリー／継承』でサウンドステージに作ったジオラマのような建築とは違う、オープンな玄関ホールのある、どの階からも眺めのいい複数の階層の家だった。映画の中で最も強烈で強く印象に残るいくつかのシーンは、この珍しい家の様々なフロアで展開する。複数の階層と邪悪なオーラを持つ家自体がキャラクターとなっている。

「とても複雑な構造で前時代的な、時が止まっているみたいな、古めかしい家です。壮観な建築でありながら古臭い、そんな家は見たことありませんでした。すぐに、インテリア室内をピンクに塗ると決めました」とクロンビーは語る。

アスター監督が最も信頼する撮影監督ポゴジェルスキ

『ボーはおそれている』で、アスター監督と撮影のパヴェウ・ポゴジェルスキは3度目のタッグを組んでいる。２人の出会いは、アメリカン・フィルム・インスティチュート（映画製作における実践的な教育を行う団体）の学生だった時代までさかのぼる。ポゴジェルスキはアスター監督の『ヘレディタリー／継承』と『ミッドサマー』で、外界から遮断された小さなコミュニティを見事な映像で描き上げた。『ボーはおそれている』では対照的に、広い世界へ踏み出している。

『ボーはおそれている』はアリのこれまでの作品と比べて、はるかに壮大なスケールで複雑な作品だ。それに今回は、かなり意欲的なストーリーで、ホメロスが描いた冒険談のように、異世界を旅する」とポゴジェルスキは語る。

このクリエイティブなコンビは10年にわたって緊密な関係を築き、作品を重ねるごとに進化し、友情を深めてきた。ポゴジェルスキは語る。

「アリは、どんな映画になるのか、いつも明確なビジョンを持っているから、あとはカメラとレンズを選ぶだけでいい。そ

して作品を作るごとに意欲的になっている。『ミッドサマー』は不可能に思えたが、今回はさらに大掛かりだ。大事なのは、アリが思い浮かべたイメージを形にすること。一緒に限界を押し広げる方法を見つけ、最終的にはやり遂げることができる」

ポゴジェルスキは、街角と都会のアパートの廊下で繰り広げられる混沌としたオープニングの数分間の撮影にすぐ取り組んだ。精神科医から処方された薬をのむための水を買うため、フェニックスがアパートのロビーを出て、ひどく荒れた通りを抜けてコンビニまで猛ダッシュする姿を追いかけて撮ったトラッキングショットは見事だ。路上の至るところで、近所の変人たちがたむろしている。

ポゴジェルスキが振り返る。

「このシーンでは、カメラを移動させるのがかなり難しい時もあった。ホアキンをはじめ、みんなが動いている状況で、いろいろな人を撮ろうとしていたからね。こういったシーンは、撮影前に駐車場で何度も練習した。ホアキンがコンビニの中で走り回るシーンでは、開いた窓からカメラを持って店内に入るなど試行錯誤して、何とかうまく撮影できたよ」

独特の撮影方法を試すためには、計画して問題を解決する必要があった。例えば、ガラス張りの家の中で撮影した時は、光の動きが予測できず反射もすごくて、また動いているキャラクターをとらえるために複雑なフロアを移動しなければばならなかった。さらにモントリオールの森での夜間撮影ではたくさんの木の葉に撮影を邪魔された。

「アリはこの作品で限界を押し広げ、シーンの演出や企画、ストーリーの伝え方という観点から監督として成長した。この映画の製作では、これまで以上に多くの障害があったが、アリは数学的な方法で取り組み、すべて事前に計画を立てて見事に演出した。僕は彼の頭の中にあるイメージを実行するだけでよかった」とポゴジェルスキは語る。

昔からアスター監督作品の製作を手掛け、制作会社スクエア・ペグの共同経営者でもあるラース・クヌードセンも同意する。

「アリの全作品をプロデュースしてきたので、自信を持ってこう言えます。『ボーはおそれている』は一番の意欲作で、不可能と思えるほど作るのが難しい映画でした。アリはいい意味で完璧主義者です。映画監督として、製作するすべての映画で自らに挑戦し、今までになかった新しいオリジナルな作品を作るために、より高いハードルを設定し続けています」

アリ・アスター監督が語る
『ヘレディタリー／継承』の制作秘話

ネタバレ注意 本作をご覧になっていない方は、記事を読まないでください。

構成＝編集部

2018年1月21日、アリ・アスター監督の初長編映画『ヘレディタリー／継承』がサンダンス映画祭で上映され、批評家たちから絶賛された。同作は「21世紀最高のホラー映画」と評価され、全米公開初週末に1357万ドルを稼ぎ出し、全世界興行収入8285万ドルを記録した。

アリ・アスター監督と言えば、『ヘレディタリー／継承』がデビュー作ということもあり、ホラー映画の鬼才と評されるが、最初の長編作品をホラー映画にするつもりはなかった。

「長編の脚本を10本ほど書いたが、どれもホラー映画ではなかった。最終的に、私は非常に現実的な理由で戦術を変更したんだ」

アスターが『ヘレディタリー／継承』の制作を始めた頃、ジェームズ・ワン監督の『死霊館』はゴーストハンターの壮大な物語でお化け屋敷のジャンルを活性化させ、全世界で3億1900万ドルの興行収入を記録した。そうした状況下で、彼が語る戦術の変更というのは、ホラー映画の脚本を書くことだった。

「ホラー映画に資金を提供してもらうのは簡単だと思っただけで、それが実証された。映画の脚本を書くと決めてからは、自分自身にこう問いかけるようになったよ。『どんなホラー映画を作りたいか？』。なぜなら、私は公開されるホラー映画をすべて観ている人間ではないんだ。12歳か13歳の時はこのジャンルに夢中で、あらゆるビデオ店のホラー映画を片っ端から観まくったが、夢中になってから長い時間が経っていたので、自分自身に問いかけなければならなかった」

しかしそんなホラー映画への執着にもかかわらず、アスターが意図的に遠ざけようとした唯一のジャンルだった。

「私は長い間、ホラー映画の脚本を書くことに抵抗があった。私を興奮させたジャンルではなかったからなんだ」と彼は告白する。

『ヘレディタリー／継承』のアイディアを生み出す際、彼はマイク・リー監督作に白羽の矢を立てた。本作を『ローズマリーの赤ちゃん』が『普通の人々』と出会ったような作品にしようという戦略会議があったが、アスターには別のアイディアがあった。彼は出演者たちに、リー監督が労働者階級の家族を描いた『人生は、時々晴れ』(02)のほか、『叫びとささやき』(72)や『秋のソナタ』(78)などイングマール・ベルイマン監督のいくつかの映画を観るように要求した。緻密なカメラワークについて議論するため、フェデリコ・フェリーニ監督の『8 1/2』や、アンドリュー・ヘイ監督が死者からの1通の手紙が夫婦の関係が揺らいでいく様子を描く『さざなみ』などを参考にしたのだ。

「物語が進行するにつれて関係が歪んでいくような家族ドラマを作りたかった」とアスターは語る。「私にとって、ホラー要素を気にする前に、本作が優れた家族ドラマとして機能することが非常に重要だった。オリジナルは3時間の長さだったので、そのような家族ドラマのシーンが多く描かれていた。最終的に2時間7分にカットしたが、その核心を維持できたことを願っているよ」

本作の根底に流れるのは、彼自身の家族についてである。「(この映画の)きっかけは、家族と私が数年間非常に大変な時期を過ごし、それがひどくなって、私たちが呪われているという感覚が蔓延したことだった。私はそう感じたことを文字通りに表現し、呪われた家族についての映画を作ることに決めた。本作は苦しむ人々についての作品で、悲しみとトラウマについての映画を作りたかった。そういったことを正直に表現したかったんだ。アメリカのホームドラマや悲劇では、家族が喪失を経験し、しばらくの間、事態が険悪になり、混乱が生じ、コミュニケーションが途絶するという傾向がある。しかし、最終的には絆が強化され、すべてがうまくいく。人々はその経験によって団結してきたんだ」

『ヘレディタリー/継承』の根底にある恐怖は、内面的な恐怖、説明のつかない現象、そして乗り越えられない罪による痛みの組み合わせから生まれている。それらのモチーフは、同じように不安にする要素に焦点を当てたアスターの短編

映画に浸透している。物議を醸した近親相姦ドラマ『The Strange Thing About the Johnsons』(11) から、サイレント映画『Munchausen』(13) で描かれた過保護な母親の物語まで、アスターの映画は人間の細やかな感情を映し出す。描かれているキャラクターたちは多くの個人的な問題を抱えており、それらを埋めるための理想的な器を探しているのだ。

「それは私の人生で起こった特定の出来事や、家族と私が一緒に経験したことに関係している」とアスターは語る。「しかし、映画自体はすべて創作だよ。本作の背後にある感情は個人的なものだが、登場人物誰もは私の家族の誰かの代わりではないんだ」

恐怖の存在に家族が全く気づいていないという事実が、恐怖をさらに増大させる。

「この物語は生け贄の子羊の視点から語られている。長い間持続していた憑依の儀式についての物語なんだ。観客は映画の家族と共に、実際に何が起こっているのかを知らないままに、詳しく説明することなしに、共謀させられる映画を作りたかった。もちろん、それが裏切られるシーンもあるし、説明が必要なシーンもいくつかあるよ」

映画の最初のショットで、トニー・コレットが演じる主人公アニーがギャラリー展示用に作った家のミニチュアが登場する。カメラがそのドールハウスに近づくと、本物のグラハム家の邸宅に移り変わるのだ。それは、今後起こることの前兆であり、不安な雰囲気を生み出している。彼女自身の人生をミニチュアのドールハウスで表現しているかのようだ。

「この映画には、ドールハウスのモチーフが貫かれている」とアスターは語る。

カメラは登場人物たちを、あたかもアニーが作成したジオラマの中の人物であるかのようにフレームに収められ、神の目で彼らを観察する。

「ドールハウスは家族の状況をしっかりと暗喩していると私は思った。彼らは結局、何の主体性も持たない人間だ。彼らはドールハウスの中の人形のようなもので、外部の力に操られているんだ。ミニチュアは映画の中で起こっていることのメタファーのような役割を果たしていたが、それは最後にはっきりと明らかになる」

映画はグラハム家の祖母エレンが亡くなり、母である彼

女に対して愛憎入り混じった感情を抱いていた娘のアニーは、夫のスティーヴに支えられてどうにか葬儀を無事終えるところから始まる。それ以後、もともと人付き合いの苦手だった13歳の娘チャーリーが、異常な行動をエスカレートさせ、高校生のピーターは幻聴に悩まされる。アニーの子供たちを演じる若手俳優アレックス・ウルフと新人ミリー・シャピロが出演する。

母親アニーを演じたトニー・コレットとミリー・シャピロは本作の最も暗い瞬間を担っている。ピーターはパーティでアレルギー反応を起こしたチャーリーを病院に急いで連れて行く。彼女は車の窓から身を乗り出して空気を吸おうとしていたが、ピーターが突然進路を変え、彼女は電柱で首をはねられるのだ。アスターがこの映画で「ジャネット・リーがシャワーシーンに足を踏み入れた」と呼ぶ出来事だ。

「この映画の中でおそらく一番好きなシーン」とアスターは語る。「その15分間で起こっているすべてのシーンをね」

チャーリーを演じたシャピロは、近年のスクリーンで観る最も恐ろしい子供だろう。彼女は、時折独特の舌打ち音を鳴らし、不機嫌そうで静けさを感じさせながら、風変わりなチャーリーを演じている。この役をキャスティングするのは特に困難だった。

「私はチャーリー役を見つけることはできないと絶望していた。彼女がオーディションに来た時、私はすぐにとても安心し、その後とても興奮したのを覚えている」

チャーリーはハトの頭を切り落とし、そこから奇妙な置物を作る。チャーリーについてアスターはあまり明言したくないと語る。

「チャーリーが悪魔ペイモンの神殿として構築しているジオラマを設置するために、これらのフィギュアを作っていたことが後で分かる。これは、ペイモンがこの家族に対して行っていることの比喩としても機能するんだ。ジオラマを見ると、そこには頭に王冠をかぶった鳩頭の生き物にお辞儀をしている首のない置物であることが分かる。チャーリーはペイモンが最初に憑依したホストなんだ。最後にはチャーリーからピーターに引き継がれる」

『ヘレディタリー／継承』
Hereditary

2018年アメリカ映画／監督・脚本＝アリ・アスター／出演＝トニ・コレット、ガブリエル・バーン、アレックス・ウォルフ、ミリー・シャピロ／Blu-ray 5,076円（税込）／127分／発売元＝カルチュア・パブリッシャーズ、販売元＝TCエンタテインメント　●グラハム家の祖母・エレンが亡くなった。娘のアニーは夫・スティーブン、高校生の息子・ピーター、そして人付き合いが苦手な娘・チャーリーと共に家族を亡くした哀しみを乗り越えようとする。自分たちがエレンから忌まわしい"何か"を受け継いでいたことに気づかぬまま……。やがて、不思議な光が部屋を走る、誰かの話し声がする、暗闇に誰かの気配がするなど、奇妙な出来事がグラハム家に頻発する。

『ミッドサマー』はハッピーエンドだった!?
～精神科医の一考察

文＝樺沢紫苑（精神科医・映画評論家）

アリ・アスター監督の『ミッドサマー』を、精神科医の視点から解説してください。という依頼をいただきました。『ミッドサマー』は、観ると「うつ」になる映画。気分が大きく落ち込む、という意味で精神科医の助けが必要な作品です。

いやそうではなく、本作における精神医学的、心理学的な見所について考えてみたいと思います。キーワードは、「意識変容」です。

『ミッドサマー』は、閉鎖社会、村社会の怖さを描いた作品と多くの人はとらえるでしょうが、精神医学的にみると「意識変容」の怖さを描いた作品と言えるのです。

1 トラウマの回復物語!?

冒頭のエピソード。心理学を専攻する大学生のダニー。双極性障害の妹にメールするものの音信不通。彼女の嫌な予感は的中。妹は両親を道連れに自殺していたのです。

ダニーは家族の家まで行って、死の現場を目撃します！　そして、強い精神的ショック受けます。それは、「トラウマ（心的外傷）」と言っていいでしょう。その後のダニーの症状は、PTSD（心的外傷後ストレス障害）の診断基準に当てはまるものです。

自分の大切な人の死を目撃してしまう。その死について、自分は何もできなかったという無力感にさいなまれる。トラウマを思い出すような刺激、劇中では「家族」という言葉が会話に出てきただけで過剰に反応してしまう。そうした言葉への驚愕反応。フラッシュバック。いらだたしさや怒りを爆発させるなどの感情、気分の不安定さ。易刺激性（いしげきせい）。睡眠障害。

映画の序盤では、PTSDの主要な症状が1つずつ、丁寧に描かれています。

家族の死は、冬でした。夏至祭は夏。つまり、ダニーのＰＴＳＤの症状は、６ヵ月も続いていて、症状が慢性化していた。心の傷はそうとうに深いものであった。そう簡単には治らなそうだという描写です。

映画の冒頭で、主人公がトラウマを負う。トラウマを負った主人公が、どのようにトラウマを克服し、生きる力を獲得していくのか。よくある映画のパターンです。

例えば、宮崎 駿監督の『君たちはどう生きるか』。主人公の眞人は、母親を火災で亡くします。自分は母親を救えなかった、何もできなかったという無力感。自分のふがいなさで母親を殺してしまったという自責の念にとらわれます。眞人は悪夢を見ます（睡眠障害）。母親の姿を想像しただけで、感情が不安定になります。典型的なＰＴＳＤと考えられます。『君たちはどう生きるか』は難解、理解困難という人も多いのですが、大筋のストーリーはシンプルです。「母親の死でトラウマを背負った少年が、異世界の冒険を通して、生きる力を取り戻す話」です。

トラウマを背負った主人公が、出来事や事件を通して回復のきっかけをつかむのは、映画のよくあるパターンです。では、『ミッドサマー』のダニーは、トラウマを乗り越えることができたのでしょうか？

2 睡眠障害と睡眠遮断

ダニーは心の傷を癒やせるのではないか。気分転換になるのではないかと、恋人のクリスチャンの誘いもあり、スウェーデンの山村のコミュニティ「ホルガ」で行われる夏至祭に向かいます。

夏至のスウェーデンは、丁度「白夜」でした。夜になってもほとんど日が暮れない。本作では2時間程度は、日没があったといいますが、あとはずっと明るい状態が続きます。そうするとどうなるのか？　体内時計がずれて、昼夜逆転。よく眠れないので、睡眠時間も足りない。頭がボーッとした状態になるのです。

そもそもアメリカからスウェーデンに飛行機で移動した段階で、時差が6時間もあります。つまり、「時差ボケ」で、普通の人でも睡眠障害になります。

PTSDの90%に睡眠障害が見られます。つまり、PTSDを患うダニーは、スウェーデンに来る前から、睡眠が不安定だったはずです。睡眠障害とPTSDはセットなのです。『君たちはどう生きるか』の眞人も、毎日、悪夢にうなされていました。

PTSD、時差ボケ、白夜。ダニーは、体内時計が撹乱されるトリプルパンチを受け、睡眠障害、睡眠不足に陥っていた。実際ダニーは、ジョシュから2日連続で睡眠薬をもらい、睡眠薬にたよってかろうじて眠っていました。

ダニーたち一行は、睡眠不足から日中の眠気に襲われますが、村人から別な活動に誘われ、昼寝がゆるされない描写もありました。

ちなみに、睡眠を制限することで人の被暗示性が高まります。反抗心がなくなり、言われるとおりに行動してしまう。なので、睡眠遮断は、カルト集団の常套手段です。

3 ドラッグ、薬草の影響

ダニーは、クリスチャンの友人、ペレ、ジョシュ、マークら5人でホルガを訪れます。ホルガに着ついて、彼らが最初にしたことは何だったでしょう？　ドラッグです。村に着いて早々、ドラッグを渡され、ハイになろうぜというわけ。その後も、毎日のように彼らは、ドラッグ漬けになっていました。ドラッグ、言い換えると幻覚剤です。

気分が不安定なダニーは、そんな気分ではないと最初は慎重な態度をとります。しかし、彼らに押し切られる形で、ドラックを使用してトリップします。

ドラッグを使用することで、意識が変容します。自分の足から草が生えているように見えたダニー。まさしく、「意識変容」の描写です。光がまぶしく輝いて見える、見えないものがありありと見える。「幻視」の症状でもあります。

食事のシーンが何度も繰り返されますが、飲み物、食事の中にも、意識を変容させる、朦朧とさせる、あるいは性欲を高めるようなハーブ、薬草が混ぜられていたようです。

夏至祭、最後の食事シーン。クリスチャンは、意識朦朧として腰も立たない。ヘロヘロになって、なす術もない状態に陥ります。その前に飲まされたドリンクに、よからぬ薬草が混入されていたのは間違いないでしょう。

古来より、メディシンマンが宗教儀式に、自然の薬草の中から幻覚作用があるものを使うことは、よくあることです。

このように薬物や一部の薬草は、意識を変容させるのです。結果として「理性」が失われます。そして、冷静な判断ができず、状況に流されやすくなるのです。

4 死の衝撃

序盤。ホルガに着いてからの描写は、「この世の楽園」のように描かれます。しかし、それが一転します。老人が崖から身を投げた。そして、彼らのすぐ前に、落下してグロテスクな肉の塊となります。このシーンは、観客にとっても衝撃的ですが、とりわけダニーにとっては、私たちの何倍もショックだったはず。

なぜならば、ダニーは「家族」という言葉を聞いただけで、軽いパニック発作を起こしていました。妹と両親の「死」を想起させるからです。そもそも、ＰＴＳＤとは「死」への恐怖を背景にした疾患です。

家族が死んでから半年間、ダニーは「死」を避け続けてきた。というのに、自分の目の前で老人が「自殺」してしまうのです。今まで避けてきた、封じ込めようとしていた、

「家族の死」の記憶が、一気に引き出されてしまった。パンドラの箱が開かれてしまった。ダニーは、強烈なショックを受けたことは間違いないでしょう。

5 易刺激性、被影響性の亢進(こうしん)からの洗脳

PTSDにおいては、易刺激性と被影響性の亢進が認められます。感情的になりやすい、周囲の状況にセンシティブに反応してしまう、ということです。

『君たちはどう生きるか』の眞人は、田舎の学校に編入。その当日、クラスメイトから冷やかされて喧嘩します。冷静で理知的なイメージの眞人としては意外な行動です。さらに、その直後、石で自分の頭を打ち付けます。これらの一連の感情的な行動は、PTSDの易刺激性と考えられます。衝動性がコントロールできない。怒り、悲しみのコントロールがきかないのです。暴走しやすいのです。

PTSDの易刺激性。気分、感情の不安定さ。精神的な疲弊、憔悴。そこに、睡眠障害、薬物使用という要素が組み合わさることによって、「理性」の防御は完全に破壊されます。

通常だと「ノー」と言えるものが言えなくなる。周囲の雰囲気に流されてしまうのです。これを精神医学では、「被影響性の亢進」ともいいます。

さらに儀式、儀礼が定期的に組み込まれることで、儀礼に従った行動をするように刷り込まれていきます。

夏至祭当日のメイポール・ダンス。何時間も村の少女たちと、意識が朦朧になるまで、単純なダンスを踊り続ける。コミュニティへの一体化、同一化。

定例的な儀式と意識変容の状態を繰り返すことによって、従順な心理状態を作り出すことができる。これを、「洗脳」と言います。

カルト的な宗教団体においては、外界から隔離し、深夜

まで儀式を行い睡眠を遮断する。全員が同じ装束を着て仲間意識を強め、全員で同じ団体行動をする。全員で食事をし、毎日、定時に定例的な儀式をすることで、反抗心や理性的な判断をそぎとり、洗脳していく。

本作で描かれる夏至祭の儀式とその進行は、まさしくカルト教団の洗脳手法、そのままです。

6 ラストシーンをどう解釈するか？

夏至祭のクライマックス。それは、悪を追い払うために「9人のいけにえ」を捧げる場面。メイクイーンに選ばれたダニーは、最後の1人の生贄を誰にするか、選ぶように言われます。恋人のクリスチャンか、見ず知らずの村人トービヨンか。

ダニーが生贄に選んだのは……恋人のクリスチャンだった！　なんという衝撃！

クリスチャンは生きたまま熊にくるまれて、三角屋根の神殿ごと焼かれるのでした。

ダニーは、最初は苦悶の表情を浮かべ恐怖で泣いてます。しかし、神殿が焼け落ちてゆくにつれ、徐々に笑顔になっていく。むしろ恍惚とした表情を浮かべたようにも見えるのです。

そして、彼女の表情をうつし出したまま、映画は終わります。このラストシーンを、どのように解釈するのか？

なぜ、恋人のクリスチャンを生贄に選んで殺したのか？それは彼女の理性的な判断だったのか、それとも人格崩壊、正常な判断力が失われていたからか？　そして、泣き叫ぶダニーが最後に浮かべた笑顔は何だったのか？

ラストシーンをどう解釈するのかが、『ミッドサマー』の最大の楽しみとも言えるでしょう。ネットで調べると、様々な解釈が出ています。どれが正しいということは、ないかもしれません。

しかし、精神科医の私が見る限り、このラストシーンは非常にシンプルに解釈できるのです。一言で言えば、「イニシエーション（通過儀礼）」です。

7 通過儀礼

お祭りのクライマックスにイニシエーションが行われることは、よくあることです。

例えば、バンジージャンプ。元々は、バヌアツのペンテコスト島で行われていた成人式のための通過儀礼でした。数十メートルのヤグラからジャンプする。それは、ものすごい恐怖でしょう。勇気が試されます。それを乗り越えてジャンプできたら、「一人前の大人」の仲間入りができる。試練を通過して、仲間として認められる。それが、イニシエーション（通過儀礼）です。

生贄として、クリスチャンを選ぶのか。村人を選ぶのか？究極の選択。

仮にダニーが、村人の方を選んだらどうなっていたのでしょう。既に、夏至祭り来た若者は、4人が殺されてるのです。メイクイーンに選ばれたダニーが、「アメリカに帰りたいんでけど、帰らせてください」と言って帰らせてくれるのでしょうか？ どうみても、無理でしょう。夏至祭の秘密を知ってしまったダニー。口封じのために殺されることは間違いない。もし殺されないのなら、この村に一生、幽閉されるしかありません。

とするならば、ダニーはホルガで生きていくしかないのです。つまり、彼女につきつけられたのは、「この村の一員となりますか？ なりませんか？」という決断です。

恋人を救い、村人を生贄に選ぶ。その選択は、現実世界とのしがらみを断ち切れない。彼女の心理の表れとなります。

恋人を生贄として選ぶ。それは、ダニーが現実世界とのしがらみを断ち切る決断をした。現実世界のルールではなく、コミュニティのルールを優先したということ。この村で、村人の1人として生きていくという覚悟を決めた！ ということを意味するのでしょう。

村人になるのか？ それとも、それを拒否して死ぬのか。究極の決断。

クリスチャンを生贄として、差し出すことによって、彼女は通過儀礼を通過したのです。

彼女の決断に、村人たちは喜んでいました。通過儀礼を乗り越えたダニーは、村の一員として正式に迎えられたのです。

8 夏至祭の目的

夏至祭の目的は、何だったのか？ それは、外の血を入れるためです。ホルガというコミューンは、外部（現実世界）から閉鎖された社会。その中で近親婚を続けると、障害児、奇形児が増えてしまい、コミュニティを維持することができなくなってしまう。実際に奇形児の女性が、何度か登場しています。夏至祭とはコミュニティに「新しい血」を入れるために必要な儀式だったのです。

そのために、村出身のペレは、友人たちを連れて、夏至祭に戻ってきたわけです。

クリスチャンは、村の女性と性交し、種づけさせられました。それで目的達成。用済みということで、「生贄」要員に回されてしまったようです。当然、ダニーも村人と関係を持って、子供を産むことが期待されているでしょう。

9 ダニーの決断

恋人のクリスチャンを生贄に捧げたダニー。それがダニーの積極的な意志、決断だったのか？ それとも、人格崩壊して判断力を失っていたのか。

薬物、薬草も投与された朦朧とした意識変容の状態ですから、「恋人を救いたい」という良心、理性があっても抗することはできなかった、という見方もあるでしょう。あるいは、抵抗できないように、ステップ・バイ・ステップで、村人たちが彼女を洗脳していった。

一方で、自分が困っている時に助けてくれない。別れたいと思っていた冷めた関係の2人。クリスチャンの性格だと、自分を見捨てて村から逃げ出してもおかしくない。というダニーの疑念、不安が、「村に置き去りにされる悪夢」につながっています。クリスチャンに対する、ダニーの復讐という見方もできなくはない。

人間の決断は、様々な考えが交錯する中で行われるので、「こうだから、こう決める」という単純なものではありません。意識は朦朧としながらも、半分、洗脳されながら、意識や良識、理性が残っているかもしれない。この「微妙な心理状態」での、ダニーの決断。

この「絶妙なシチュエーション」を作りだすために、映画の前半から中盤の全ての描写があった、と言っても過言ではないでしょう。

緻密な計算づくの心理描写の積み上げ。これこそが、アリ・アスター監督の真骨頂です。

10 なぜダニーは笑ったのか？

さて、本作のラストシーン。ダニーの笑顔の謎について、考えてみましょう。

『ミッドサマー』は、ネットを見ると「映画史上最もうつになるラスト」「映画史上最もトラウマになる映画」と評されています。この凄惨なラストシーンが「うつになる」「トラウマになる」と感じた人が多いようです。でもちょっと待ってください。

そもそも、このラストシーンは、映画史上に残る悲惨なラストシーンなのでしょうか？　そうだとするならば、なぜ最後にダニーは笑顔を浮かべるのでしょう？

これは、人格崩壊した人の笑顔なのでしょうか？『機動戦士Zガンダム』の最終話。精神崩壊したカミーユ・ビダンが見せた恍惚とした表情と同じなのでしょうか？　私は違うと思います。

本作の映画の冒頭は、現実世界の地獄絵図が描かれます。双極性障害の妹、そこに巻き込まれて心中した親。そして、全く頼りにならない恋人。現実世界に救いはない！「現実世界＝地獄」と描かれているのです。

しかし、ホルガに来た後の描写はどうでしょう。自然豊で、美しい風景。世俗的な出来事がなく、村人同士が仲睦まじい。全員が家族のようで、愛情にあふれている。村人もみんな笑顔につつまれている。この世の楽園として描かれているのです。

通過儀礼をパスしたダニーは、これから村の一員として、「この世の楽園」で生きていくのです。

それは、ダニーにとって、天国なのか、地獄なのか？幸せなのか、不幸なのか？

神殿に火がつけられる。神殿の中から聞こえる絶叫。自分の恋人が、そこで焼かれているわけですから、心穏やかでいられるはずがない。ましてや、彼を生贄に選んだのは自分です。そこに自責の念や良心の呵責もあったはずです。恐怖で崩れるダニー。しかし、徐々に表情が変わります。

神殿が焼け落ちそうになり、中の人たちは焼け死んでしまった。クリスチャンが死んだ瞬間に、ダニーの中で「現実世界」とのつながりが、完全に断ち切られたのです。親、妹、恋人。地獄のような現実世界とのつながりが、完全に断ち切られた！　物理的なしがらみがなくなった。すなわち、精神的に「自由」になった！　ＰＴＳＤの死の囚われからも解放された！

そこに「安堵」の気持ちが出てもおかしくない。それどころか、全てが吹っ切れた。一連の夏至祭の儀礼を通して、ダニーの心は浄化された。最後のダニーの笑顔は、「トラウマが消失した」ようにも見えるのです。

11「映画史上最もうつになる映画」は本当か？

つまり、「家族が自殺で亡くなり、トラウマを負ったダニーが、夏至祭を通して、現実社会との決別を決め、新しい楽園で生きていく話」。なんと、トラウマを克服する映画！　つまり、ハッピーエンド！「めでたし、めでたし」とも読めるのです。

「映画史上最もうつになるラスト」と思いきや、「映画史上、最悪のラストからハッピーエンドへと転じる、大ドンデン返しの映画」ではないですか。

映画は、ダニーの不可解な笑顔で終わります。具体的に言葉による説明は全くないので、観客に最終判断は委ねられました。何が正しいのかは、分かりません。

私も最初に『ミッドサマー』を観た時は、みなさんと同じように「映画史上最もうつになるラスト」と思いました。なんという悲惨なラストシーンなのだ……と。

しかし、改めて今、精神科医の視点で本作を観返してみると、そうでない気がしています。

ダニーのトラウマは解消した。これは、ハッピーエンドなのではないかと。

『ミッドサマー』
Midsommar

2019年アメリカ映画／監督・脚本＝アリ・アスター／出演＝フローレンス・ピュー、ジャック・レイナー、ウィル・ポールター、ウィリアム・ジャクソン・ハーパー、ヴィルヘルム・ブロングレン、アーチ・マデクウィ、エローラ・トルキア、ビョルン・アンドレセン／DVD 4,290円（税込）／147分／発売・販売元＝TCエンタテインメント

●アメリカで暮らす大学生のダニーと恋人のクリス、その仲間たちは、交換留学生であるペレの故郷スウェーデンで夏至（ミッドサマー）に行われる祝祭に誘われる。人里離れたヘルシングランド地方、森の奥深く、美しい花々が咲き乱れる“ホルガ村”を訪れた５人は“白夜”のもと、優しく穏やかな村人たちから歓待を受ける。しかし、閉鎖空間の中、次第に不穏な空気が漂い始め、ダニーの心はかき乱されていく。

アリ・アスター監督と主演女優フローレンス・ピューが語る『ミッドサマー』の裏話

構成＝編集部

『ミッドサマー』（19）は、『ヘレディタリー／継承』（18）の撮影が始まる前の2017年初めに形になり始めた。その数年前から、アスター監督は映画制作の準備をしていたが、新しい脚本に着手する中で、自分自身が再び「別れ」のテーマを振り返っていたことに気づいた。ホラー映画を装った家族ドラマ（悲しみとトラウマを乗り越えたアスター監督自身の経験に基づく）『ヘレディタリー／継承』と同様に、『ミッドサマー』は再び個人的な問題に根ざしていて、屈折したおとぎ話というレンズを通して、人間関係の崩壊を探る機会となったのだ。

「『ミッドサマー』を制作するきっかけとなった最初のイメージは、生贄と共に燃え上がる神殿だった」とアスター監督は語る。「〝別れ〟に関する映画を新しい設定に組み込むことに興奮し、これまで観てきた映画同様に、カタルシスをもたらすありきたりな結末に、オペラ的なひねりを加えたいと考えたんだ。つまり、主人公が自分自身を解放する過程で集めたすべてのアイテムが入った箱を震えながら燃やすという結末なんだ」

　アスター監督は、ボーイフレンドのクリスチャンとの関係が崩れ、失恋を乗り越えようとしながら個人的な喪失を

経験している若いアメリカ人女性、ダニー・アーダーを主人公にし、そのキャラクターに自身の葛藤を加えた。物語の大部分はスウェーデンで展開され、ダニーとクリスチャンは友人たちと一緒に休暇に出かけるところから始まる。アスター監督は、彼にとってまったく異質な環境と文化を理解するために、ストックホルムを拠点に活躍する舞台装飾家のヘンリック・スヴェンソンに協力を求めた。

2013年、『ミッドサマー』が制作の初期段階にあったとき、スヴェンソンは軽度の脳卒中を患い、スウェーデンで療養しており、治癒のため1年間仕事を休んでいた。ゆっくりと回復に向かった彼はスウェーデンの民間伝承と異教の伝統を研究し始め、その成果の一部をロサンゼルスにいるアスター監督に送った。スヴェンソンとアスター監督はその資料を基に、映画で描かれた独特で細部まで作り込まれた世界を詳述する100ページに及ぶ〝物語のバイブル〟を共同で作成した。カリフォルニアでは、アスター監督はスウェーデン、北欧、イギリス、ドイツの民間伝承について独自の研究を行っており、ジェームズ・ジョージ・フレイザーの「金枝篇」（未開社会の神話・呪術・信仰に関する研究書）から、ルドルフ・シュタイナーのような哲学者の精神的伝統に至るまで、あらゆる本を参考にした。

その後、アスター監督はスヴェンソンと共にスウェーデンを旅し、民俗博物館を訪問。北部に位置する保存された歴史あるヘルシンガルド（農場）を見学し、その分野の専門家に取材し、スウェーデンの部族の習慣を綿密に調査したのだ。

「500年前から現在に至るまで、スカンジナビアの農村地域や宗教的なコミュニティの人々が、どのように暮らしていたかを把握しようと努めた」とスヴェンソンは語る。「私たちは自然の要素、つまり植物や動物を含む自然の世話を人々がどのように行ったのかや、自然を取り囲む建築部材や壁画のような芸術などに注目した。これらの地域では文化が非常に強く反映されており、彼らがどのようにコミュニケーションをとっているのかを知りたかったのだが、多くの場合は、音楽を通して行われたんだ」

研究が進むにつれて、彼らはバイキングの拷問方法など、より邪悪な習慣にどっぷりと浸かっていることに気づいた。アスター監督は闇と光を織り混ぜながら脚本を書き始め、不気味なカルト集団がスウェーデン北部の辺境で夏祭りとして1000年に一度の儀式を行うという異質な環境に、現代のアメリカ人の若者たちのグループを投げ込んだ。

アスター監督は当初から『ミッドサマー』をホラー映画

として思い描くことはせず、代わりにこの企画を密閉された奇妙な世界で繰り広げられる壮大な冒険として捉えていた。「アメリカ人がこの風景に足を踏み入れたとき、彼らは真珠のような門をくぐり、新しい領域へと足を踏み入れる」とアスター監督は語る。「私たちは、文化人類学者が〝お菓子の国〟に近づくというように、この作品を捉えた。登場人物たちが実際にそこに住むことができるようにするには、このまったく新しい場所をどのように作成すればよいのか？　私たちにとって重要だったのは、観客が感情移入し、実際に生活できるように感じ、直感的に理解できる世界を作り出すことだった。その結果、たとえこの部族が謎のままであっても、最終的には複雑に定義されるようになるんだ」

ダニーとクリスチャンの曖昧な関係

『ミッドサマー』の冒頭では、クリスチャンがダニーの感情的な欲求よりも学業や男性の友情を利己的に優先しており、ダニーとの関係は暗礁に乗り上げている。その後、悲劇が起こる。「彼女は壊滅的な喪失を経験し、両親も妹も失い、クリスチャン以外に家族となるものは何も残されていない」とアスター監督は語る。「彼女に最も近い人は、彼女と別れようとしている男なんだ。彼はまともなので、状況を考えれば立ち去らない。しかし、それはクリスチャンにとって義務の問題であり、ダニーは友人たちに受け入れられないことをよく知っている」

　その友人には、文化人類学や民俗学に興味を持つ博士課程の学生、ジョシュ（ウィリアム・ジャクソン・ハーパー）も含まれている。マーク（ウィル・ポールター）は、つまらないバリアを張る辛辣で排外主義的で役立たずの愚かな男だ。スウェーデン人の交換留学生ペレ（ヴィルヘルム・ブロムグレン）は、スカンジナビアの人里離れた先祖代々の家への夏の旅行にダニーではなく友人を招待した。

　旅行のことを彼女に当初、隠していたクリスチャンは、彼女を誘わないことにプレッシャーを感じ、彼の親しい友人たちはそのことに残念がる。ジョシュ、マーク、ペレは、ただ自由に行動したいだけで、学業での名誉をさらに高めることでも、スウェーデンでセックスすることでも、個人的で利己的な目標を邪魔するものを嫌がっていたのだ。

　最終的にはクリスチャンはダニーを旅行に誘う。

「クリスチャンの友人たちが彼女を嫌っていることを知りながら、彼女は本心じゃない招待に応じるんだ。ここから映画は、この有害な力関係がどのように解決されるのかという問題になる」とアスター監督は語る。「彼は義務から関係を続けているんだ。そして彼女はしがみついている。その結果、ダニーは彼が別れたいと思っていることを感じていたが、同時に彼女が1人では生きていけないことも知っていた。彼らは行き詰まっているんだ。『ミッドサマー』は常に共依存することを描く一種のホラー映画だった」

ダニーを演じ、映画のほぼすべてのシーンに出演しているイギリス人女優フローレンス・ピューはこう付け加えた。「2人の関係はずっと前に終わっているはずだった。にも関わらず環境や慰めの必要性から、それは続いているの」

この力関係を複雑にしているのは、ペレの祖先のホルガ村族に関する博士論文を書くために旅行に来た、学者肌のジョシュと、学術にはそんなに興味のないクリスチャンとの間に起こる目に見えない対立である。アスター監督は2人の間に静かな緊張関係を築くが、クリスチャンがホルガ村の習慣や儀式について論文を書こうと決めた時、それは爆発する。物語が進む過程で複数の関係が明らかになるにつれ、この男子クラブのメンバー全員は自分のために行動しているだけで、お互いに本当の友人ですらないことが明らかになっていくのだ。

太陽の下での悪

スウェーデンに到着したダニーと仲間たちは、人里離れたヘルシングランドへ向かう。そこでは、ペレの部族が90年に一度行われる浄化の儀式を祝っている最中だ。有色人種の英国人旅行者であるサイモンとコニー（アーチー・マデクウィとエローラ・トルキア）がアメリカ人旅行者に加わる。これは『ミッドサマー』に流れる、より邪悪な底流の1つを知る重要な手がかりだ。マジックマッシュルームを摂取した後、新たな到着者たちは森へと旅立ち、最終的には木製の入り口を通って、きらめくファンタジーの世界のように見える場所へと迷い込む。

『ミッドサマー』の中心部に位置するのは、先祖伝来のホルガ村だ。牧歌的な並木尾根の下に位置する広大な野原に、宿泊所、キッチン、寺院などの素朴な建物が並んでいる。部族60数名とともに食事、儀式、ダンスに参加しながら部外者たちが新しい環境に慣れていくと、それぞれがカスタマイズされた白い服を着る。一見慈悲深く、さらには歓喜に満ちた、結束の固いお祭り騒ぎのカルト集団にめぐり合う。彼らはルーン文字（ゲルマン人がゲルマン諸語の表記に用いた古い文字体系）のシンボルが入ったリネンの衣裳を着ている。

　しかし、眩しく容赦ない太陽の光の中で、事態はすぐに暗転する。撮影監督パヴェル・ポゴジェルスキと再びコンビを組んだアスター監督は、スウェーデンで1年のうち日暮れが完全に訪れることのない白夜の時期に、燦々と照り輝く昼間の光の中でエスカレートする恐怖と戦慄の物語を展開させる。

「本作は正気を失い、自分の方向性を失いかけている女性の物語だ。太陽が常に昇っていて、昼と夜の区別がないストレスを感じる状況に彼女を置くのは面白いだろうと思った」とアスター監督は語る。「ダニーが自分の状況に直接向き合わないという点で、テーマの共鳴性がある」

　影と暗闇に沈んだ一戸建て住宅を主に舞台にした『ヘレディタリー／継承』の後、アスター監督とポゴジェルスキは、夜の出来事から180度方向転換したいと考えた。「『ミッドサマー』では、私たちは持続的でしつこいほど明るいものを求め、つまりある種の攻撃のような、ひっきりなしに浴びせられる光を作ることを目指した」とアスター監督は語る。

　自然の中で戯れるフレンドリーな村人たちが住む晴天の楽園のように見える場所は、ダニーが自分の内なる悪魔と戦う中、すぐに邪悪な方向へシフトしていく。クリスチャンは自身のアカデミックな名誉を成し遂げようとホルガ村の謎に深く飛び込んでいくが、そのカップルは自分たちの価値観とは不穏なほど異なる、伝統、儀式の中にどっぷりと浸かっていることに気づくのだ。

上昇　スターの誕生

23歳のフローレンス・ピューは、『レディ・マクベス』(16)やTVドラマ「リトル・ドラマー・ガール 愛を演じるスパイ」(18)での高い評価を土台に、衝撃、パニック、絶望、戸惑い、自信、そして優美さをたっぷりと表現し、忘れがたい重厚さを醸し出した。

　アスター監督は、ダニーの役を求めて何百人もの女優と会い、そのたびに何度もピューに戻ってきた。なぜなら、悲しみに打ちひしがれ、偏執的な状態から高貴で人に力を与えられるキャラクターまで、主人公が経験する忘れがたい旅路のすべてを演じられるのは彼女しかいなかったからだ。

「映画を作っている間、私はラストシーンのフローレンスの姿を想像し続けた。彼女はあらゆる段階でそこにいてくれる人物だと分かっていたよ」とアスター監督は語る。「『レディ・マクベス』では彼女はとても落ち着いていて計算高い人物だったが、ダニーはとても繊細で感情的な人物。フローレンスが以前の役割から180度転換するのを見るのはエキサイティングだった。彼女は完璧なプロフェッショナルで、何を投げられても驚くほど簡単に受け止めることができるんだ」

ピューは地の果てまで旅をし、やがて身も凍るような異教のカルトに教え込まれていく若い女性を演じるという挑戦を受け入れた。

「ダニーのような役にはこれまで挑戦したことがないわ。彼女ほどオープンでありのままのキャラクターには隠れる場所もないの」とピューは語る。「アリの脚本の複雑さと奥深さのおかげで、彼女には非常に多くの層があるので、彼女を演じたいと思った。私は最初に脚本を読んだときからダニーに夢中だった」

ピューは次のように付け加える。「アリが創造した世界はとても生き生きしていた。物語が熱狂のピークに達しているときでさえ、物語のすべてが美しく、正確なの。彼は自分が何を達成しようとしているのかについて非常に明確なアイディアを持っており、カメラが回る前から映画のあらゆる瞬間がすでに頭の中にあったわ。『ミッドサマー』では、すべてのショットがパズルになっており、それぞれのパーツが個別に動き、最終的にはうまく調整されたパーツが集合したフィールドになるの。アリの想像力の一部になることは恐ろしいことであり、同じくらい刺激的なの」

洗脳される

『ミッドサマー』は、古代の異教の儀式の中で変身してしまい、悲しみに暮れる女性についてのダークなおとぎ話である。ダニーが恋人のクリスチャンと過去の悲しい出来事から離れ、遠い世界の中で新しい家族（明らかに母系制の部族と文化）との新しい生活に向かって徐々に洗脳されていく様子を描いている。

この映画は男性の世界から始まり、クリスチャンとその同僚の学生たちが、ダニーをはじめとする身近な女性たちに対して下品な性的ジョークを浴びせながら、学業の成功を目指して奔走する。しかし、ホルガ村の世界に入り、物語ではますます女性が優位になり、豊饒を感謝する儀式で最高潮に達する。これは、男性が社会に進出した時代における女性の主体性に対する挑戦的な声明だ。彼らは今でも女性の身体を規制し、コントロールしようと日常的に試みている。

「ホルガ村では男性と女性の間にバランスがあるが、女性のほうが明らかに力を持っている」とアスター監督は語る。「映画に出てくる男たちの中には嫌な奴もいるけど、私は有害な男らしさについて論争をするつもりはなかった。そうは言っても、これは最終的には、ほろ苦く明確ではないものの、女性のエンパワーメント（1人ひとりが側圧されることなく力をつけることで大きな影響を与えることができるようになる）の物語であることが明らかになるんだ。ダニーには権限が与えられているけど、実際には彼女にも権限がないんだよ」

映画の終わり近くになると、もう1つの魅力的で刺激的な舞台装置が登場する。これは、5月祭（メイ・クイーン・フェスティバル）の祭りに参加するダニーと、栄冠をかけて争う村の若い女性たちを描いたものだ。彼女らは1人ずつ疲れ果てて倒れるまで一緒に踊り、勝者だけが残る。アメリカ人がホルガ村族の古風な風習を案内される中、ダニーはペレの部族の人々の間で受け入れられ、権限を与えられ、さらには神格化される。彼女は古代の儀式を通じて自分が生まれ変わっていることに気づく。

「彼女は自分自身を傷つけ、抑圧してきた圧倒的な感情を感じ始めるの」とピューは語る。「彼女は初めて自分自身の痛みに耳を傾け、それを受け入れた」

アスター監督はこう付け加えた。「これはひねくれた願望を実現する物語なんだ。ホルガ村はダニーに人生で欠けているものを与えるために突然襲いかかり、彼女が除外する勇気がなかったものを取り除く」

アスター監督の臨場感あふれる映画製作の力と指揮によって、観客はダニーとともに洗脳され、選ばれた部外者を自分たちの習慣や生活様式に密かに取り込むというホルガ村の真の動機を味わうことになる。しかし、これらの儀式や伝統には、非常に憂慮すべき意味が込められている。観客に考えさせることはたくさんあるが、アスター監督は、異教の陽気なお祭り騒ぎの中で、より微妙でより現代的なメッセージのヒントを提供し、それはこれまでに『ヘレディタリー／継承』で血統と遺産を考察したことと一致するのだ。

ジョシュ、サイモン、コニーを含む数人の登場人物が有色人種であり、圧倒的に白人が多いヘルシングランド地方の環境に迷い込んだのは偶然ではない。しかし、ホルガ村の暗い謎に「入門」するのは、アングロサクソン系プロテスタント系アメリカ人の白人であるダニーとクリスチャンだ。

『ミッドサマー』における真の悪役は、何世紀にもわたって同じ儀式を行っているだけの村人たちではなく、むしろ彼らの考え、価値観、習慣であり、物語が最高潮に達するにつれ、ダニーの中に新たな居場所を見つける。ダニーがこれらの時代遅れの伝統によって自分に力が与えられ、変化していることに気づくことが、この映画に独特の力と恐怖を与えているのだ。私たちは、それがすでに自分の中に植え付けられているまで、世の中に流通している有毒なアイディアを感じることはあまりない。根付いてからでは手遅れになることもある。

ホルガ村の世界

『ミッドサマー』は、2018年の夏にハンガリーのブダペスト郊外の田園地帯で撮影された。物流上の考慮と日光をよりよく浴びることができるという理由で辺境のスウェーデンの代わりになった。『ヘレディタリー／継承』と同様に、アスター監督は再び、プロダクションデザイナーのヘンリック・スヴェンソンと共同で映画の目玉であるホルガ村を含む精巧なセットを一から作り上げたのだ。

「観客が、実際にそこにいてホルガ村の人々と一緒に祝っているかのように、すべてのショットで村のさまざまな部分を見ることができるのが重要だと感じた」とアスター監督は語る。「映画の終わりまでに、観客が村の地理を骨の髄まで理解できるようにしたかったんだ」

構造的なインスピレーションを得るためにスウェーデンの田舎とその特徴的な農家をくまなく調べた後、アスター監督とスヴェンソンは数ヵ月間ハンガリー中を視察し、木々や山に囲まれ、太陽の光が降り注ぐ田舎の村を設置できる場所を探した。綿密なプランナーであるアスター監督は、2018年初めに彼とプロダクションデザイナーが最終的にブダペストから数マイル離れた場所に適切な場所を見つける前に、すでにすべてのショットをデザインし、村全体のレイアウトを計画していたのだ。

この時点までに、スヴェンソンはこのプロジェクトに5年近く携わっており、カメラが回る前に〝物語のバイブル〟をより詳しくし、すべてのキャラクター、建物、衣裳の複雑な詳細を練り上げた。これは、アスター監督がホルガ村で展開するより深い神話を創造するのに役立った。これには、映画全体、特に儀式のシーンで使われる「アフェクト」と呼ばれる独自の架空の言語も含まれている。「これは、ヘルシングランドの田舎の村で真夏の祭りの間に見たり聞いたりするものの、歪んだ幻想的なバージョンのようなもの」とアスター監督は語る。「ヘンリックは素晴らしい男で、これが彼のプロダクションデザイナーとしての初めての長編映画だというのが信じられない」

プロジェクトが進行するにつれて、アスター監督はホルガ村族に特有のルーン文字（ゲルマン人がゲルマン諸語の表記に用いた古い文字体系であり、音素文字の一種）も採用した。これは、映画の衣裳、室内の壁、そしてルビー・レーダーとして知られる神聖な本の中で見ることができ、ジョシュが写真を撮ろうとするときに重要なターニングポイントになった。彼の博士論文の難解な予言は、村の長老たちを激怒させた。

「すべてのシンボルには独自の意味があり、私たちはそれらの意味を特定の文字に割り当てた」とアスター監督は語る。「衣裳にはルーン文字とアフェクト文字の組み合わせが見られる。キャラクターがカルトの中で成長するにつれて、そのキャラクターにはその独特の背景に対応する特定のルーンが割り当てられている」

ホルガ村の歴史と信念を概説する宿泊所や女家長制のスポークスマン、シヴ（ガンネル・フレッド）が住む3階建ての住居の壁に複雑に描かれた壁画やシンボルなど、セットの精巧なインテリアについて、アスター監督はアーティストのラグナル・ペルソンに依頼した。その後、ハンガリーの職人が壁紙に加工したのだ。

「これらの絵の中に、映画の中で起こるすべてのことが、観客に明らかな兆候を示さずに隠されているんだ」とアスター監督は語る。「『ミッドサマー』にはイースターエッグがたくさん含まれているよ」

このアートワークの制作は撮影の数ヵ月前に行われ、ペ

ルソンはヘルシングランドを偵察に行った際にアスター監督とスヴェンソンが直接見つけた中世の絵画のスタイルで絵を描き、『ミッドサマー』にドールハウスを思い起させる複雑で象徴的なディテールをもたらした。『ヘレディタリー／継承』のフィギュアも、重要なストーリー要素を示している。

スヴェンソンは、ブダペスト郊外で撮影に先立って2ヵ月かけて村のセットを建設し、完成まで時間との戦いを続けた。

「構造物が実際に地面に触れることができなかったため、すべてを柱の上に建てなければならなかった」とスヴェンソンは語る。「ハンガリーには多くの規則があり、理解しやすいものもあれば、理解しにくいものもある。カメラが回る前に建物を完成させるのは、時間と天候との戦いだった」

これは太陽との闘いでもあり、映画製作者らは制作をより適切にコントロールできるという理由で、ハンガリーを映画のロケ地として選択することになった。スウェーデンの法律では、映画スタッフは1日あたり8時間しか撮影できないと定められており、チームが日光を最大限に浴びることは制限されていた。日が短かったハンガリーで撮影することで、光のコントロールが難しくなったが、逆に風景をよりコントロールできるようになった。適切な撮影場所を見つけることがすべてを意味した。

「私たちは毎日そのロケ現場に行くと、自ずとホルガ村の世界に足を踏み入れることになるの」とピューは語る。「その中で生活するのは非常に爽快で有益だったけど、その経験はさらに不気味なものになった。すべてがデザインされており、ゼロから描いたので、テイクの合間にふらふらして、ただ壁のアートワークを見つめることもよくあったわ」

撮影監督のポゴジェルスキは次のように付け加える。

『ヘレディタリー／継承』は、限られたスペース内ですべてを制御できたので、撮影がはるかに簡単だった。『ミッドサマー』を撮影する前、私はその現場に何日も滞在して、太陽を観察し、影をテストし、雲が立ち込め、太陽の光が弱まり始めるのに気づいたよ。太陽はただ動き続けるだけなので、何も予測することはできない。待ってくれないんだ」

信憑性を保つため、アスター監督はホルガ村の村人を演じるスウェーデン人俳優（数十人のエキストラを含む）を飛行機で派遣し、イギリス人やアメリカ人のキャストやハンガリー人のスタッフらと共演させた。緻密に練り上げられたストーリーと同様に、『ミッドサマー』は多数の人々が存在する世界なのだった。

INSTARimages/アフロ

All About Joaquin Phoenix

『ボーはおそれている』の主演を演じたホアキン・フェニックス。
彼のバイオグラフィ、さまざまな機会でコメントした発言、
彼に関する基礎知識を紹介する。

ホアキンのミニバイオグラフィ

兄の死を乗り越えて、『ジョーカー』でオスカーを受賞し、押しも押されもせぬトップ俳優になる

文＝長坂陽子

　ホアキン・フェニックスは1974年10月28日にプエルトリコのサン・フアンで父ジョン・リー・ボトム、母アリン・ハート・ボトムのもとにホアキン・ボトムとして生まれた。５人兄弟のちょうど真ん中で兄姉にリヴァー・フェニックスとレイン・フェニックス、妹にリバティ・フェニックスとサマー・フェニックスがいる。

　ヒッピーだったジョンとアリンは結婚後も放浪癖が抜けず引っ越しを繰り返す。レインが生まれた後すぐに新興宗教「神の子供たち（チルドレン・オブ・ゴッド）」に入り伝道師に。中南米とプエルトリコを旅しながら布教活動を続ける。ホアキンとリバティはこの放浪期間に誕生する。この頃ジョンとアリンは家族の新しい門出を祝して「フェニックス（不死鳥）」という姓を名乗り始めた。

　リヴァーやホアキンら子供たちも歌やダンスを披露して布教を手伝うが、そのうち夫婦は「神の子供たち」に幻滅を感じ始める。教団が女性信者を使って性的な手段で男性を誘惑し入信させる布教方法をとっていることを知り、団体を離脱。フロリダに戻り、法的にフェニックスに改姓。新生活を始める。この頃、ホアキンは名前も変更。兄姉妹と同じように自然にインスピレーションを得た名前にしたいと考え、自らリーフと名乗り始める。

　ホアキンが6歳になる頃、一家はようやくロサンゼルス周辺に落ち着く。アリンはＴＶ局「ＮＢＣ」で秘書として働き始め、キッズタレントの有名エージェント、アイリス・

バートンと知り合う。これがリヴァーやホアキンの運命を大きく変えた。５人の子供たちはＣＭ出演をきっかけにエンタメ界に足を踏み入れ、演技の道を歩み始める。ホアキンも8歳でリヴァーの出演していたシットコム「Seven Brides for Seven Brothers」（82）に出演する。

演じることに魅了されたホアキンは2年後にドラマ「Backwards : The Riddle Of Dyslexia」（84）に出演、リヴァーと再び共演する。兄弟たちは芸能活動を続けつつホームスクールで勉強していたが、ホアキンはこの頃中退。きっかけは生物の授業の課題だった。すでにヴィーガンになっていたホアキンには解剖用の死んだカエルが送られてきたことは許しがたかった。

その後一家は再びフロリダへ。それまでＴＶ映画やドラマにしか出たことがなかったホアキンも12歳のとき『スペースキャンプ』（86）でスクリーンにデビューし、さらに『ラスキーズ』（87）で初主演を果たす。順調に子役としてのキャリアを重ねた彼は、『バックマン家の人々』（89）では全米青年芸術祭最優秀俳優賞にノミネートされる。レビューサイト「インディワイヤー」は彼の演技を「悩める思春期をリアルに演じている」と称賛している。しかしこの作品の後ホアキンはハリウッドを離れてしまう。後年、魅力的なオファーがなかったのが理由だと説明している。

１９９３年、ホアキンが19歳のとき一家に大きな悲劇が訪れる。それまでメキシコにいたホアキンはリヴァーからのアドバイスもありアメリカに帰国、俳優活動を再開しようとしていた。その矢先リヴァーがウェストハリウッドにあるクラブ「ザ・ヴァイパー・ルーム」の店の外で発作を起こし、急死してしまう。リヴァーと一緒にいたホアキンは兄を救おうと必死に救急隊員に電話をした。その様子はマスコミに繰り返し取り上げられ、一家は取材攻勢にあう。リヴァーの死は若くして成功した俳優たちの反面教師として報じられ、死因をめぐっては陰謀説まで飛び出した。騒乱に嫌気がさした一家はコスタリカに移住する。

ホアキンの俳優復帰もそのまま流れてしまったが、１９９１年に短編映画『Walking The Dog（原題）』に出演、ようやく表舞台に戻ってくる。続いてリヴァーと『マイ・プライベート・アイダホ』でタッグを組んだことのあるガス・ヴァン・サント監督の『誘う女』（95）で完全復帰を果たした。この作品は同年のカンヌ国際映画祭でプレミア上映され、ホアキンの演技は批評家たちから絶賛された。復帰にふさわしく、彼はこの2作品から本名のホアキンを再び名乗り始める。

その後ホアキンはオリヴァー・ストーン監督の『Uターン』(97)、ダグ・ホルト監督の『秘密の絆』(97)に出演し、順調にキャリアを築いていく。後者は彼のプライベートにとっても大きな意味を持つ作品となった。この作品で共演したリヴ・タイラーと恋に落ち、3年にわたって交際を続ける。その後『リターン・トゥ・パラダイス』(98)、『ムーンライト・ドライブ』(98)など小作品への出演が続いたあと、リドリー・スコット監督の歴史大作『グラディエーター』(00)に出演。ラッセル・クロウ演じる将軍と対立する、傲慢で野心家な皇帝を演じクリティクス・チョイス・アワードの助演男優賞を受賞。オスカーを初めゴールデングローブ賞、英国アカデミー賞でも助演男優賞にノミネートされる。この作品は興行的にも大ヒットし、この年の興行収入成績ランキングではトム・クルーズの『M:I-2』についで2位を記録する。ホアキンは名実共に実力派人気俳優として世界的な注目を集めるようになった

その後も社会派サスペンスの『裏切り者』(00)、18世紀のフランスを舞台にした『クイルズ』(00)、M・ナイト・シャラマン監督の『サイン』(02)『ヴィレッジ』(04)とバラエティに富んだ作品に出演する。『ウォーク・ザ・ライン/君につづく道』(05)では実在のミュージシャン、ジョニー・キャッシュを演じゴールデングローブ賞の主演男優賞を受賞、オスカーの主演男優賞にもノミネートされる。またこの作品ではジョニーの歌を自らパフォーマンス、グラミー賞のサウンドトラック映画賞も受賞した。著名な映画評論家ロジャー・エバートは彼の歌声をこう絶賛する。「私はキャッシュのアルバムを多少なりとも知っている。目を閉じてこの作品のサウンドトラックに集中した時、ジョニー・キャッシュの歌声を聞いていると確信した。エンディング・クレジットを観て歌っているのがホアキンだと分かり驚愕した」

順調に演技派俳優としての道を歩んでいたが、2008

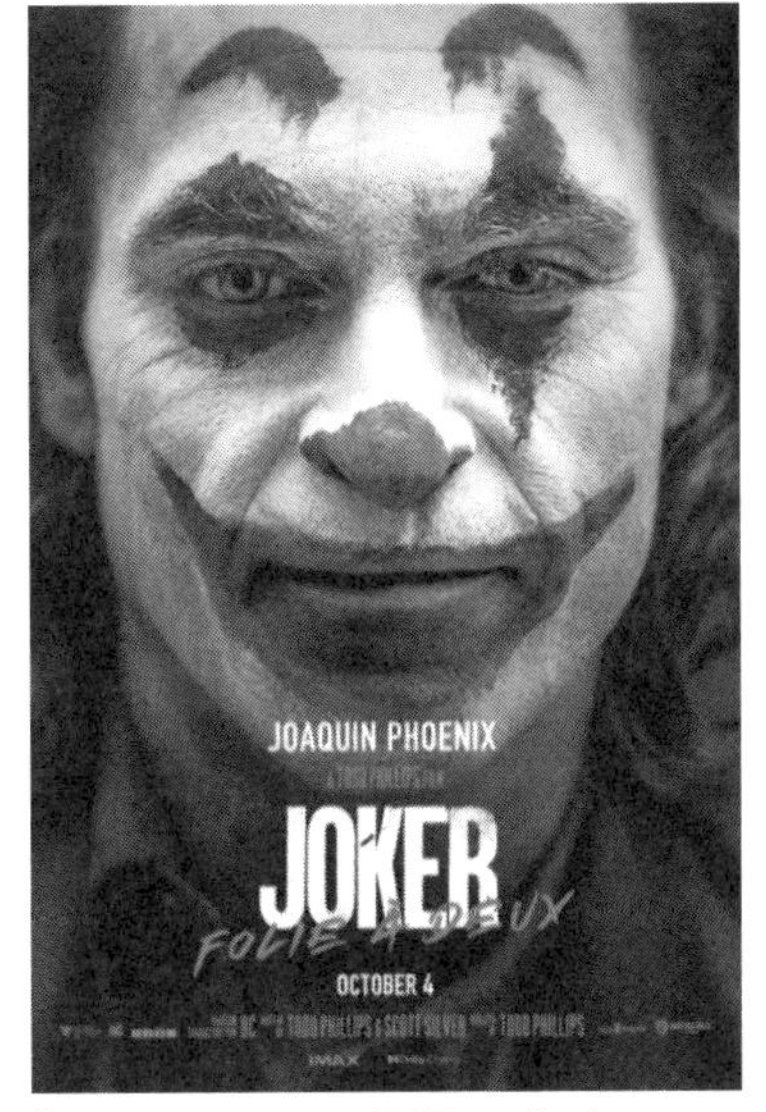

『Joker: Folie à Deux (原題)』のポスター

年、『トゥー・ラバーズ』のプロモーション中に俳優を引退すると電撃発表し世間を驚かせる。しかしこれは友人で当時妹サマーの夫だったケイシー・アフレックの監督作『容疑者、ホアキン・フェニックス』(10)のためのフェイク発言。この作品はホアキンが俳優を辞めヒップホップアーティストに転身、それがフェイクであることを発表するまでの2年間を追ったモキュメンタリーで、彼は脚本と制作にも関わっていた。作品に使うことを前提に出演したTV番組では番組側に知らせず、横柄なヒップホップアーティストになりきってトークを展開。当時から何かの作品のための演技ではないかと推測していたマスコミやファンも多かったが、そのまま受け取った一部のファンからは「鼻持ちならない勘違いセレブ」という声も。完成した作品は2010年のベネチア国際映画祭に出品されたが、評価は賛否両論だった。

この一件でお騒がせ俳優という評判を得てしまったホアキン。翌年ポール・トーマス・アンダーソン監督の『ザ・マスター』(11)に主演し、体重を大幅に減量して戦争後遺症に苦しむ退役軍人を演じた。興行的に大ヒットしたとは言えないが作品もホアキンの演技も大絶賛され、一部の批評家からは「ホアキンのキャリア史上、最高の演技だ」という賛辞の声も上がった。この作品で彼はベネチア国際映画祭の男優賞を受賞、アカデミー賞、ゴールデングローブ賞、英国アカデミー賞の主演男優賞にもノミネートされた。モキュメンタリーで引き起こした物議も悪評もほぼ鎮まり、見事に俳優として生き返った。

続くスパイク・ジョーンズ監督の『her／世界でひとつの彼女』(13)では人工知能に恋する男を演じ、4度目となるゴールデングローブ賞主演男優賞にノミネートされる。惜しくも受賞はならなかったが、この作品で彼はのちに交際することになるルーニー・マーラと運命の出会いを果たす。翌年には現代アメリカ文学の巨匠トマス・ピンチョンの小説「LAヴァイス」を原作にした『インヒアレント・ヴァイス』(14)に主演。ポール・トーマス・アンダーソン監督と2度目のタッグを組む。この作品では5度目となるゴールデングローブ賞にノミネートされるが、またしても受賞はならなかった。

『ナポレオン』(配給＝ソニー・ピクチャーズ)

作品がヒットしようとしまいと、ホアキンの演技は一貫して高い評価を得てきた。賞も数多く受賞してきたが、なぜかここまでオスカーとは無縁。オスカーと英国アカデミー賞に3回、ゴールデングローブ賞に5回ノミネートされていたが受賞したのはゴールデングローブ賞1回のみ。しかし2020年のアワードシーズンで一気にあらゆる賞をかっさらう。トッド・フィリップス監督の『ジョーカー』（19）でDCコミックスのスーパービラン、ジョーカー役で鬼気迫る演技を見せ、3つの賞をすべて受賞。全米映画俳優組合（SAG）賞やクリティクス・チョイス賞も制した。

　ホアキンは兄の死を騒ぎ立てたマスコミへの反発からかそれまで一貫してプライベートは見せない主義を貫いてきた。SNSからも距離を置いている。しかしこの年のアワードシーズンでは私生活も垣間見せた。『マグダラのマリア』（18）で再共演したのをきっかけに2016年頃からルーニー・マーラと交際し始めていた。マスコミは2人の関係をあれこれ報じていたが、公の場所に揃って登場することはなかった。しかし『ジョーカー』のプレミアが行われた2019年のベネチア国際映画祭を皮切りに、翌年のゴールデングローブ賞、オスカーの授賞式に一緒に出席。レッドカーペットで2ショットを披露し関係を公にした。そしてオスカーから3ヵ月後の2020年5月にルーニーの第1子妊娠というビッグニュースが報じられ、9月には男児が生まれる。ちなみに赤ちゃんの誕生を発表したのは、ホアキンの友人で彼が製作総指揮として参加したドキュメンタリー『GUNDA／グンダ』のヴィクトル・コサコフスキー監督。映画が上映されたチューリッヒ映画祭で、ホアキンが参加できなかった理由を聞かれると「美しい男の子が生まれたばかりだから。リヴァーと名付けられたんだよ」と回答。兄から名前をとったことを明かし、世界中のリヴァーのファンを涙させた。

『ジョーカー』でオスカーを受賞し、押しも押されもせぬトップ俳優になったホアキン。マイク・ミルズ監督の『カモン カモン』（21）などインディーズ系の作品に出演する一方で、歴史大作『ナポレオン』でリドリー・スコット監督と再タッグ。カリスマ的なリーダーとして波乱の人生を生きた皇帝ナポレオンを演じた。鬼才アリ・アスター監督の『ボーはおそれている』（23）に続き、2024年10月4日には『ジョーカー』の続編『Joker: Folie à Deux（原題）』も全米公開される。監督は前作から引き続きトッド・フィリップス監督。ハーレイ・クイン役に抜擢されたレディー・ガガとの競演にも注目が集まっている。

ホアキン・フェニックスをよく知るためのキーワード

彼の素顔が分かるエピソードをご紹介する

文＝長坂陽子

神の子供たち（Children of God）

ホアキンの両親が入信していたキリスト教系の新興宗教。両親は伝道師として南米で布教活動をしていたほど積極的なメンバーだったが、アメリカやヨーロッパではカルト集団だと批判されることも多い。１９７０年代には女性信者たちがセックスを利用して男性たちをメンバーに勧誘する伝道手法をとっているとして物議を醸した。

当時すでに物心がついていた兄のリヴァーもホアキンも教団には否定的。リヴァーは生前「４歳のとき彼らにレイプされた」と衝撃的な告白をしたこともある。ホアキンはこれをマスコミの質問に嫌気が差したリヴァーのジョークだとコメント。事実だったら親が許さなかっただろうと言

AP/アフロ

っているが、教団の姿勢に批判的なのは彼も同じ。ＴＶ番組で「彼らはもちろん自分たちをカルトとは言わなかった。言ったら誰も入団しないだろう？」とコメント、純粋なキリスト教というよりも狂信的な集団だったと批判した。神の子供たちは現在「ファミリー・インターナショナル」と名前を変えて活動している。

リヴァー・フェニックス

ホアキンの兄。『スタンド・バイ・ミー』でブレイク、美しい顔立ちでアイドル的な人気を獲得する一方で『旅立ちの時』『マイ・プライベート・アイダホ』ではナイーブな青年像を表現し、俳優として高く評価された。前者でアカデミー賞助演男優賞にノミネート、後者でベネチア国際映画祭の男優賞を受賞している。若手演技派として注目されていた１９９３年、ハロウィンの前日にホアキンや妹のレイン、当時交際していた俳優のサマンサ・マティスらとともにクラブ「ザ・ヴァイパー・ルーム」を訪れるが店内で発作を起こし店の外へ出たところで亡くなった。23歳だった。店のトイレでヘロインとコカインを過剰摂取したことが原因。ちなみにこの「ザ・ヴァイパー・ルーム」はジョニー・デップが共同経営していたことで知られている。

ホアキンは後年、本格的に俳優業に取り組み、今まで続けられたのはリヴァーの影響だと自己分析している。「兄がある時、お前は僕以上に有名な俳優になると言ったんだ。当時は何を言っているんだろうと思った。でも兄は確信を持ってそう口にしていた」。リヴァーが彼に及ぼした影響の大きさは２０２２年に誕生した長男に兄と同じ名を付けたことにも表れている。

ヴィーガン

ホアキンが3歳の頃、一家はヴィーガンに。「神の子供たち」を脱退し南米からアメリカに戻る時、船上で漁師たちが釣った魚を壁に打った釘に叩きつけて処理しているのを見たのがきっかけだった。それは仕事方針にも貫かれた。ホアキンたちは子役時代にコマーシャルに出演していたが、ヴィーガンのポリシーに反する商品に関する仕事は親が承諾しなかった。ホアキンは今もヴィーガン生活を貫き、皮革製品も身につけない。「プラダ」のキャンペーンの顔を務めた時も革靴を着用することを拒否。足元は他のモデルが代役を務めた。

２０２０年には動物の権利向上を訴える団体「ＰＥＴＡ」のキャンペーンに出演。「ウールを着るのをやめよう」とアピールし、羊毛の生産過程で羊に対する虐待が行われていることを訴えた。『グラディエーター』や『クイルズ』『ウォーク・ザ・ライン／君につづく道』などに出演した時もレザーの衣裳は着用せず、合成繊維で作ってくれるようリクエストしている。

ヴェルナー・ヘルツォーク

ドイツの映画監督。『ノスフェラトゥ』や『ヴォイツェク』などを手掛けたニュー・ジャーマン・フィルムの巨匠とされる。ホアキンと一緒に仕事をしたことはないが、彼はヘルツォーク監督から文字通り命を救われた経験があると明かしている。2005年に『ウォーク・ザ・ライン／君に続く道』を撮影した後、彼は「快楽主義者のように暮らしていた」「バカをやって酒を飲み、くだらないクラブに行くような生活を送っていた」が、ある日ロサンゼルスで運転中に事故を起こす。血まみれになり意識が朦朧としていた彼は車内でタバコを吸おうとする。すると窓のところにやってきた男性に「落ち着きなさい」と話しかけられた。彼が落ち着いていると返答すると男性は「いや、君は落ち着いていない」と言い、ガソリンが漏れている車の中でタバコに火をつけようとしていることを指摘した。ホアキンは車から出て初めて、その男性がヘルツォーク監督であることに気がついたそうだ。

不安感

ホアキンと仕事をしたことのある多くの監督は彼が非常にシャイだと指摘、不安症を抱えていると話す。『裏切り者』や『トゥー・ラバーズ』など4作でホアキンと仕事をしたことのあるジェームズ・グレイ監督は緊張する彼の様子を「演技か何かだと思うほどだ」と描写。彼と一緒にTV番組に出演する際、楽屋で待っている間に彼が不安のあまり嘔吐してしまったことを明かしている。

飛行機での移動も以前は苦手だった。フライト中、自分で状況をコントロールできないのが嫌だという。南米にいるクチバシの鮮やかな鳥、オオハシの絵が描かれた幸運のボクサーパンツを履いていないと飛行機に乗れず、それが見つからない時はフライトを逃すこともあった。機内でパイロットや乗務員たちに宥められたことも一度や二度ではなかったという。

リハーサル

緊張感や不安感は演技をする時にも同じように彼を襲う。

郵便はがき

料金受取人払郵便

牛込局承認

9026

差出有効期間
2025年 8 月
19日まで
切手はいりません

1 6 2-8 7 9 0

東京都新宿区矢来町114番地
神楽坂高橋ビル5F

株式会社ビジネス社

愛読者係 行

ご住所 〒 TEL: ( ) FAX: ( )			
フリガナ お名前		年齢	性別 男・女
ご職業	メールアドレスまたはFAX メールまたはFAXによる新刊案内をご希望の方は、ご記入下さい。		
お買い上げ日・書店名 年 月 日 市区 町村 書店			

ご購読ありがとうございました。今後の出版企画の参考に
致したいと存じますので、ぜひご意見をお聞かせください。

書籍名

お買い求めの動機

1　書店で見て　　2　新聞広告（紙名　　　　　　　　　　　）

3　書評・新刊紹介（掲載紙名　　　　　　　　　　　　　　）

4　知人・同僚のすすめ　　5　上司、先生のすすめ　　6　その他

本書の装幀（カバー），デザインなどに関するご感想

1　洒落ていた　　2　めだっていた　　3　タイトルがよい

4　まあまあ　　5　よくない　　6　その他(　　　　　　　　　　　)

本書の定価についてご意見をお聞かせください

1　高い　　2　安い　　3　手ごろ　　4　その他(　　　　　　　　　　　)

本書についてご意見をお聞かせください

どんな出版をご希望ですか（著者、テーマなど）

しかしホアキンは「純粋な不安が好きだ」とコメント。それを自分のエネルギー源だと捉えている。撮影の時リハーサルを拒否しているのもそれが理由。リハーサルであらかじめ起きるであろう状況を知ってしまうと不安感がなくなってしまうからだという。『ジョーカー』の撮影ではそれがトラブルに発展した。共演者のロバート・デ・ニーロは脚本の読み合わせに出てこないホアキンに不満を表明した。

トッド・フィリップス監督に「彼に、俳優なのだから読み合わせにくるべきだと伝えてくれ。私は映画のセリフを最初から最後まで聞いておきたい。いいから部屋に来て読めと言ってくれ」と要求する事態に発展した。監督からそれを聞いたホアキンは「読み合わせなんてとんでもない。絶対行かない」とFワードを交えて返答。もし顔を合わせていたら一触即発になるほど険悪なムードになってしまった。この一件は結局ホアキンが大先輩であるデ・ニーロに折れる形で決着。渋々彼のオフィスまで行き、読み合わせをしたという。

業界用語

49歳にして40年近いキャリアを持つが、業界に染まらないように意識的に努力している。それが表れているのは業界用語に対する姿勢。使わないのはもちろん、知ることも拒否している。ある時インタビュアーが「テントポール(映画会社やTV局の業績を支える映画や番組のこと。他の作品や会社全体の資金をまかなうほどのヒットが見込める)」という言葉を出したとき「それはどういう意味？」と逆に質問した。説明させたというエピソードがある。

ルーニー・マーラ

パートナーにして息子リヴァーの母。兄と並びホアキンの人生で大きな存在である。2012年に『her／世界でひとつの彼女』で共演して知り合い、2016年に『マグダラのマリア』(公開は2018年)で再共演したのをきっかけに交際を始めた。初めて彼女と仕事をしたときのことを彼は「撮影中ずっと、彼女は僕を軽蔑していると思っていた」と話している。しかしあとになって彼女が人見知りだったこと、実際は彼に好意を抱いていたことを知ったという。最初から彼女のことが気になっていたのはホアキンも同じ。「ルーニーは僕がネットで検索した唯一の女の子だ。それまで女の子をネットで調べたことはなかった」と明かしている。ルーニーもヴィーガンで彼と同じように環境保護活動にも熱心に取り組んでいる。一緒にデモ活動に参加する姿も目撃されている。

ロバート・デ・ニーロ

『ジョーカー』ではリハーサルを巡って対立はあったもののホアキンにとってロバート・デ・ニーロは尊敬する俳優の1人。ホアキンは子役から大人の俳優へと移行する時期に演技の仕事から遠ざかっていたことがあるが、彼を俳優の仕事へと連れ戻したのは兄リヴァーと、彼が見せてくれた『レイジング・ブル』。もちろんデ・ニーロの代表作の1つである。ホアキンを俳優業にカムバックさせたいと考えていたリヴァーはこの作品のVHSテープを持ち帰り「俺たちはこれを観なくてはいけない」とホアキンに何度も見せた。兄の目論見通りホアキンはこの作品に魅了された。デ・ニーロ演じるボクサー、ジェイク・ラモッタが15歳の少女と出会い、チェーンのフェンス越しに小指を絡めるシーンに特に心を揺さぶられたという。

リーフ

ホアキンの名は聖母マリアの父ヨアキムにちなんで付けられた。ミドルネームのラファエルもキリスト教の三大天使から取られた。両親の信心深さを物語っているが、兄姉妹はリヴァー、レイン、リバティ、サマーと自然や概念にちなんだ詩的な名前。自分だけ違うのが嫌だったホアキンは南米からアメリカに帰国した頃、母親に改名したいと相談。ＯＫをもらったことから自分でリーフ（葉）と名付けた。ちょうどその時父が庭で落ち葉を掃いていたので、その名を選んだという。

その後、俳優業から一時期離れ父と一緒にメキシコで過ごしていたが、リヴァーの勧めもあり帰国。俳優への復帰を助言される。結局リヴァーは弟の俳優復帰を見ずに急逝してしまうが、ホアキンは兄がアドバイスしたように俳優業を再開する。そのタイミングで名前も戻した。それも生前リヴァーが勧めていたこと。今、俳優〝ホアキン〟・フェニックスがいるのはリヴァーの力によるところが大きい。

空手

ホアキンの趣味は脚本を読むことと Netflix で犯罪ドキュメンタリーを観ること。あまり多趣味とは言えないが、空手は長年続けているという。２０１7年に道場帰りのところをパパラッチにキャッチされたが手に持っていたのは茶帯。２０２０年3月には柔道着と黒帯を持って出てくるところを目撃されている。関係者も彼が黒帯に上がったことを認めている。ハリウッドセレブのようにパーソナルトレーナーについて体を鍛えるのではなく精神統一を大切にする柔道を選ぶあたり、毎日瞑想を欠かさないホアキンらしい。

「ステラ マッカートニー」のタキシード

ハリウッドのイベントでは毎回異なる衣裳を着るのが暗黙のルール。近年はサステナビリティ（持続可能性）を意識して同じドレスを2回、3回着用する女性セレブも増えているが、それでも数年前のドレスを改めて着るという頻度。男性セレブの装いに対する注目は、女性セレブに向けられるものほどではないとはいえ、毎回異なるスーツを着るセレブがほとんどだ。しかしホアキンは『ジョーカー』でメジャーな賞を席巻した２０２０年、1月のゴールデングローブ賞から2月のアカデミー賞まで、出席した5回の授賞式すべてで「ステラ マッカートニー」のカスタムメイドのタキシードを着用した。

翌年、プレゼンターとしてアカデミー賞授賞式のステージに再び登場した時も同じタキシード姿だった。ちなみにデザイナーのステラ・マッカートニーもホアキンと同じようにヴィーガン。作品に皮革や毛皮など動物性の素材を一切使わないことで知られ、このタキシードもサステナブルな素材で作られていた。ステラは「彼がこのタキシードに決めたのは地球とそこで暮らす生き物の未来を大切にすることを選んだから。彼はさらに無駄をなくすためにシーズンを通じて同じタキシードを着ることを決めた。これからも私たちに刺激を与え、光り続けてほしい」とＳＮＳでメッセージを送った。

コンバース

タキシードの着回しから分かるようにサステナブルなライフスタイルを徹底しているホアキン。ハリウッドのＡクラスセレブでありながらプライベートジェットも所有せず、使うことにも否定的。服や靴もお気に入りの、しかもカジュアルなアイテムを長年着回している。

特に愛用しているのはコンバースのスニーカー。ベネチア国際映画祭のフォトコールやアカデミー賞授賞式といったフォーマルな場所にも黒いローカットで現れる。もちろん新品ではなくいつも履いているもの。環境保護を訴える人は多いけれど、有言実行という点ではホアキン以上のセレブはいないだろう。

オスカー史上2組目

ホアキンは2020年に『ジョーカー』のジョーカー役でアカデミー賞主演男優賞を受賞している。クリストファー・ノーラン監督の『ダークナイト』で同じくジョーカーを演じたヒース・レジャーも2009年のアカデミー賞助演男優賞を受賞している。同じキャラクターを演じてオスカーを獲得したのはオスカー史上2組目。ちなみに1組目はマーロン・ブランドとロバート・デ・ニーロ。それぞれ『ゴッドファーザー』と『ゴッドファーザー PARTII』でヴィトー・コルレオーネを演じブランドは主演男優賞、デ・ニーロは助演男優賞を受賞した。ちなみにブランドは辞退し、デ・ニーロは授賞式を欠席している。

唇の上の傷

ホアキンの唇の上には縦に傷跡がある。口唇裂や口蓋裂の治療跡と思われることが多いが違う。生まれた時からあったそう。ホアキンはあるインタビューで彼の母親が妊娠中に痛みを感じ、それがこの傷跡として残ったのだろうと独自の説を披露している。ちなみにあるTV司会者が彼のこの傷を口蓋裂の治療跡だと思い、やゆする発言をした。口蓋裂の患者や家族から抗議が殺到、司会者は謝罪することになったが、ホアキンは何もコメントしなかった。

芸能一家

一家でレッドカーペットに現れたり、リアリティ番組を制作したりといった、いかにも「セレブリティファミリー」のような行動を取らないせいか忘れられがちだが、ホアキン一家は芸能一家。亡きリヴァーはもちろん姉レイン、妹サマーも俳優として活躍。妹リバティも一時期映画に出演していた。パートナーのルーニー・マーラも俳優であり、姉ケイト・マーラもドラマ「ハウス・オブ・カード」などに出演する俳優。ケイトの夫でホアキンから見れば義理の兄的存在にあたるジェイミー・ベルも『ロケットマン』などでおなじみ。ちなみにサマーの元夫も俳優のケイシー・アフレック。ホアキンはかつてケイシーと非常に親しく、同じアパートメントの別部屋に住んでいたこともある。

音楽

ヒップホップ・アーティストになると転向発言したのは『容疑者、ホアキン・フェニックス』のためのフェイクだったけれど、ホアキンがヒップホップファンなのは本当の話。パブリック・エネミーの楽曲を聴いた時に「素晴らしい曲だと思った。それ以来ずっとヒップホップが好きだ」と語っている。音楽が役作りの一端を担うことも。『ウォーク・ザ・ライン／君につづく道』ではミュージシャンのジョニー・キャッシュを演じるために歌とギターのレッスンを受け、吹き替えなしで作品を完成させた。

『ジョーカー』でも音楽が重要な役割を果たした。フレックことジョーカーが地下鉄で殺人を犯した後、公衆トイレに逃げ込む場面がある。ここはホアキンとトッド・フィリップス監督が完成させるのに苦労したパートだった。ホアキンからダンスでフレックからジョーカーへの変化を表現するアイディアを出された監督は、音楽を担当していたチェリスト、ヒドゥル・グドナドッティルが作った重厚なメロディを彼に聞かせた。あのユニークなダンスはこの楽曲が彼にインスピレーションを与えた結果生まれたものである。このシーンを撮影して以降、ホアキンは撮影現場でずっとあのチェロ曲を聞き、ジョーカーの内面世界に入り込んでいたという。

ギネス世界記録

ホアキンはギネスの世界記録を持っている。２００６年に彼は『ウォーク・ザ・ライン／君につづく道』でアカデミー賞主演男優賞にノミネートされたが、兄リヴァーも１９８８年に『旅立ちの時』でアカデミー賞助演男優賞の

第92回アカデミー賞授賞式のために行われたヴァニティ・フェア誌のオスカー・パーティに参加したフェニックス一家。左よりレイン・フェニックス、母親のハート・フェニックス、ホアキン、サマー・フェニックス
Evan Agostini/Invision/AP/アフロ

候補になっている。兄弟がアカデミー賞の男優賞に揃ってノミネートされたのは2人が初。惜しくもこの時受賞はならなかったが、このギネス記録は今も破られていない。

友人

ハリウッドの華やかなパーティシーンからは距離を置いているホアキン。ハリウッドの人間関係も広く浅くよりも、狭く深くがポリシーのよう。リヴァーの親友だったキアヌ・リーヴス、『リターン・トゥ・パラダイス』や『ムーンライト・ドライブ』で共演したヴィンス・ヴォーン、マット・デイモンやグウィネス・パルトロウら限られた友人とじっくり付き合っているという。ちなみにホアキンと同様、ジョーカー役を演じたことがあるヒース・レジャーも仲のいい友達の1人だった。

肉体改造

ホアキンはキャラクターの内面を表現する演技テクニックで知られる。とはいえ肉体改造とも無縁ではない。『グラディエーター』では傲慢な皇帝を表現するために増量。反対に『ジョーカー』の時には24キロ体重を落として撮影に挑んだ。元兵士を演じた『ザ・マスター』では減量に加えて歪んだ口元を作るため、歯医者へ。顎が閉じたままになるように歯にバンドとブラケットを着用した。イエス・キリスト役だった『マグダラのマリア』の撮影中は1日３００キロカロリーの食生活を続けたという。

ジョニー・キャッシュ

アカデミー賞主演男優賞に初めてノミネートされた『ウォーク・ザ・ライン／君につづく道』では実在のミュージシャン、ジョニー・キャッシュを演じているがこれは当時存命中だったジョニー自らが指名して実現した。ジョニーは『グラディエーター』の演技に感銘を受け、彼に演じてほしいとリクエストしたという。

恋愛

恋愛報道でマスコミを賑わすセレブも多い中、ホアキンの恋模様はどちらかというと地味め。とはいえ20代には『秘密の絆』で共演したリヴ・タイラーとの交際が噂されていた。リヴ曰く「ホアキンを一目見たとき恋に落ちた」。２人は１９９８年に別れてしまうが、その後も友人関係を続けている。セレブの破局声明によくある言葉だけの「別れてもいい関係」ではないのは一緒にチャリティビデオに出演したり、ホアキンが理事を務めている南アフリカの子供たちを支援するチャリティ団体「The Lunchbox Fund」のイベントにリヴが参加したりしていることからも明らか。ちなみにこの「The Lunchbox Fund」を立ち上げたのはモデルのトーパス・ペイジ・グリーン。彼女もホアキンの元カノの1人である。別れ際にもめて断絶状態になったり、悪口を言い合ったりするセレブもいるなか、これだけ良好な関係を築くあたりからも彼のいい人ぶりがうかがえる。

自作は観ない

自分の作品は観ないと公言しているホアキン。ウディ・アレン監督の『教授のおかしな妄想殺人』に出演した時、完成作は観たかと問われると「観ていない」と即答。「ポール・トーマス・アンダーソン監督に言われたから『ザ・マスター』は観た。あとは『her／世界でひとつの彼女』。僕が観た自作はそれだけだ」。『her』も自分の演技ではなくルーニーを観るためだったと推測されている。

ドクター・ストレンジ

2014年にマーベル・シネマティック・ユニバース（MCU）のドクター・ストレンジ役をオファーされたという報道が浮上した。残念ながら実現しなかったが、ホアキン側から断ったという。理由については公には明かされていないが、ブロックバスター映画の監督の制作ポリシーに納得できなかったと示唆している。また一部のマスコミはMCUの契約期間が長く、シリーズの他の作品にも出演しなくてはいけないことが理由だったのではないかと推測している。ちなみに『ジョーカー』はDCコミックが原作ではあるが独立した作品。DCエクステンド・ユニバースには入っていない。ホアキンも『ジョーカー』およびその続編にのみ出演する。

好きな映画

ホアキンのフィルモグラフィにコメディ映画はほとんどないが、好きな映画はウィル・フェレルのおバカコメディの傑作『俺たちステップ・ブラザース ―義兄弟―』（08）。何度も繰り返し観るほどのお気に入りの1本で、ホアキン曰く「おしっこを漏らして笑い転げた」。これは親たちが結婚したことで義理の兄弟になってしまった中年男2人の関係を描いた作品で、ウィルの相手役を演じたのはジョン・C・ライリー。ホアキンは彼が出演すると聞いて『ゴールデン・リバー』（2011）のオファーを即OKしたという。

ホアキン・フェニックスの発言集

さまざまな機会に発言したホアキンの言葉を集めてみた

文＝長坂陽子

2019年、トロント国際映画祭で功労賞を受賞して

「私が15歳、16歳だったある日、兄のリヴァーが『レイジング・ブル』のVHSテープを持って仕事から帰ってきた。彼は私にその映画を観せると、翌朝私を起こしてもう一度観せた。そして『お前は演技をやるんだ。これがお前のやることだよ』と言った。命令したのではなくて、ただそう言ったんだ。演技は私にこんなにも素晴らしい人生を与えてくれた。だから兄にはとても感謝している。そしてどこにいるか分からないけれど、この会場のどこかに汚れたドラゴンがいる。私はそいつの翼をもぎ取り、ブランケットでしっかり包み込み永遠に一緒に眠りたい。愛している。ありがとう」

INSTARimages/アフロ

（注：ドラゴンは婚約者のルーニー・マーラのこと。彼女が出演した映画『ドラゴン・タトゥーの女』にひっかけて愛を語った）

2020年、英国アカデミー賞（BAFTA）で主演男優賞を受賞して、俳優部門のノミネーションが全員白人だったことに言及した

「ここにいられることをとても光栄で幸運だと思っている。BAFTAは私のキャリアをとても応援してきてくれたし、深く感謝している。しかし同時に葛藤を感じざるをえない。なぜならこの賞にふさわしい多くの俳優仲間たちが同じ恩恵を受けることができていないからだ。これは有色人種の人々に『あなたたちはこの業界で歓迎されていないのだ』とはっきりとメッセージを送っていることにほかならないと思う。メディアや我々の業界に多くの利益をもたらしている人に対するメッセージだ。

施しで賞をもらったり特別扱いされたい人はいないと思う。でもそれが実際に私たちがやっていることだ。1人1人はただ認知され、認められ、作品を尊重してほしいと思っているだけだろうけれど。私は独善的な批判でこう言っているわけではない。自分もこの問題に加担していることを恥じているからだ。これまで自分が働いてきた撮影現場がインクルーシブ（排他的）であるよう、全力を尽くしてきたとは言えないからだ。

必要なのは撮影現場を多文化的にすることだけではないと思う。組織的な人種差別を理解するために全力を尽くさなくてはいけない。このシステムを解体することは、そのシステムを作り、存続させ、そこから利益を得てきた人たちの義務だと私は思う。そう、それが私たちの義務だ」

2020年、SAG賞の授賞式で

「私が演技を始めてオーディションを受けるようになった時、いつも最終審査に呼ばれた。ここにいる多くの人はそれがどのようなものかが分かると思う。行くといつも同じ俳優が2人いて、私ともう1人はいつも同じ子に負けていた。彼の名前を口にできる人はいなかった。あまりにもつらくて。でもキャスティング・ディレクターは誰もがこう囁いていた。レオナルドだ、レオナルドだって。レオナルドって誰？　分かるよね。レオ、君はこの25年間ずっと私にも他のたくさんの人にもインスピレーションを与えてくれた。本当に感謝している。そして私が今日ここにいるのは、大好きな俳優ヒース・レジャーのおかげだ。ありがとう」

2020年、アカデミー賞の授賞式で

「今は感謝の気持ちでいっぱいだ。私はここにいる候補者たち、この場にいる全員と比べて自分が何かに秀でているとはまったく思えない。なぜなら私たちはみんな、同じ映画への愛を分かち合っているからだ。この表現方法は私に類いまれなる人生を与えてくれた。もし演技がなかったら自分がどうなっていたのか、分からない。でも演技が私とこの場にいる人たちにもたらしてくれた最大の贈り物は自分たちの声を、声を持たないものたちのために使うチャンスだと思っている。

最近、私は我々が全員で直面している悲惨な問題について深く考えていた。時々、私たちはいろいろな異なる問題に取り組んでいるように感じる、または感じさせられていると思う。でも私にはそこに共通点が見える。ジェンダーの不平等、人種差別やクィア（性的マイノリティ）の権利、先住民の権利や動物の権利。それらはすべて不正義に対する闘いなんだ。私たちはあるひとつの国、ひとつの国民集団、ひとつの人種やジェンダー、ひとつの種がその他を支配し、管理し、利用し搾取しても罪に問われないという思い込みに対する闘いについて議論している。

私たちは自然界との繋がりを絶たれてしまったように思う。そして私たちの多くは、自分たちが宇宙の中心だという信念、つまり自己中心的な世界観を持つという罪を犯している。私たちは自然界の中に入り込み、その資源を強奪している。牛を人工的に交配させ、その牛が仔牛を生んだら母親が怒りのあまり泣いているのは明らかなのにその仔牛を取り上げる。それが当然の権利であるように感じているんだ。そしてその仔牛のためのものである母乳を取り上げ、コーヒーやシリアルに入れている。

私たちは自分個人に変化が起きることを恐れているのだと思う。なぜなら自分たちが何かを犠牲にしたり、諦めたりしなくてはならなくなると思うから。でもベストな状態の時の人類はとても発明的で創造的かつ独創的だ。だから私は愛と思いやりを自分たちの基本理念として、感情を持つすべてのものと環境にとって利益があるように変えていくシステムを生み出し、発展させ、機能させていけると思っている。

私はこれまでずっと、悪いやつだった。自己中心的で冷酷で、一緒に仕事をしにくい人間だった。だから私にセカンドチャンスをくれた、ここにいる多くの方に感謝している。ベストの状態の時の私たちとはお互いを助け合う時の

私たちだと思う。過去に犯した間違いを相殺している時ではなく、お互いの成長を助け、教え合い、救いへと導く時だ。それこそが人間性の最良の部分なんだ。私が17歳の時、兄がこんな歌詞を書いた。『愛を持って救済へと向かえ。そうすれば平和はついてくる』」

2020年のゴールデングローブ賞の受賞スピーチで

「ノミネートされたみんな、おめでとう。私たちの間に競争なんてないことはみんな知っている。（オーストラリアで続いていた森林火災について）多くの人がお見舞いの言葉を言うのは素敵なことだが、僕たちはそれ以上の行動をしなくてはいけない。そうだろう？ 私は常に高潔な人間だったわけではない。でも私は多くのことを学んでいる。この会場にいるたくさんの人が私に何度もチャンスを与えてくれた。選挙で投票するのは素晴らしいことだが、時には自分自身で責任を負い、自分の生活を変えたり犠牲を払ったりしなくてはならないこともある。プライベートジェットでパームスプリングスまで往復する必要はない。お願いだ。私もより良い行いを心がけるからみなさんにもそうしてほしい。私に我慢してくれて本当にありがとう。この夜とみなさんにとても感謝している」

芸能レポーターについて

「実際、私が会った芸能レポーターの中には本当に嫌な奴が多くて驚かされる。というのもこの仕事にはそれだけの責任があると思うからだ。私はいつも守りの姿勢をとってきた。子供の頃からインタビューで聞かれたいくつかの質問には本当にショックを受けた。大人になってからもだ。力を持っていながら、それを悪用するなどということがどうしてできるのか私には分からない」

出演作『カモン カモン』のインタビューで

「どういう行動が真っ当なのか、どうすれば相手から何かを引き出しながら思いやりのある会話ができるのかという点で、私は非常に明白な一線があることを学んだ。その一線を気にしていないように見える人、おそらくその一線を越えることに喜びを感じているようにさえ見える人たちとどれだけ多く接してきたかにショックを受けるよ。その一線の差はとても大きい。私は子供たちと働いてきたからね。自分が話しているやり方で大丈夫なのか、私は心配だった。私は誰のことも追い詰めたくない。子供たちに自分の話を聞いてほしい、尊重してほしい、大人が子供に対して聞くように―私はそういう目にあったけれど―ではなく純粋に好奇心を持って質問してほしいという欲求を持っていることには驚かされる。私はそういう風に生きようとした。子供たちにはとても感動させられる。子供たちに自分の感情や希望、夢をとても素直に表現する。彼らとあるワンシーンをやると何が正直で、何が正直ではないかとても明確なバロメーターがあると思うんだ」

セットでナーバスになるかと聞かれて

「ああ、ものすごくなる。石のように固まってしまう。ある役を引き受けると表現したいことがたくさん出てくる。台本を読み進めるとアイディアが溢れてくる。だからそれを表現するための適切な場所が見つけられるかどうか不安になるんだ。自分でもよく分からないから話すのは難しいけれど、私はただ何かを表現しようとしているだけなんだ」

リハーサルをすることについて

「ただ無理だと感じるんだ。分からない、ただものすごくフェイクな感じがする。映画制作において素晴らしいのは何度もテイクを重ね、編集を駆使して最高の瞬間をつかみ取れることなんだ。だから私はそれを撮影の段階で発見したい。リハーサルでそれを見つけてしまって「ああ、あの時の演技は本当によかった。あれをどう再現しよう?」と思うのではなくてね。

演じるキャラクターについて

「キャラクターの激しさが好きだ。人はよく、私がキャラクターを通して自分の経験を表現していると思っている。それは逆だと思う。登場人物の人生や経験は私にとって異質なことが多く、それに胸を引き裂かれることが多いから」

兄が亡くなった後の騒乱について

「私たち一家は芸能界から距離を置いていた。娯楽番組は見なかったし、家には芸能雑誌もなかった。リヴァーは才能のある俳優で映画スターだったが、私たちはそれを知らなかった。私たちが最も傷つきやすくて脆くなっている時、ヘリコプターが上空に飛んで来る。私たちの土地に忍び込もうとする人たちがいる。私から見ると死を悼む過程を邪魔されているように感じた」

『容疑者、ホアキン・フェニックス』について

「この映画が私の俳優としてのキャリアにどれほど影響を

及ぼすことになるのか分かっていなかったんだと思う。公衆の面前で恥をかくことにはどこか解放感がある。ほら、これ以上悪くなることはないだろう？　ロールシャッハ・テスト（心理テスト）のようなものなんだ。映画を観る人やその人がこの映画を観て何を考えているのかを物語る。人にそういう影響を及ぼす映画は本当に珍しい。だからある意味、私は満足したよ」

オフは何をしているのかと聞かれて

「オフは好きだ。大好きだよ。休むことに不安はない。何をしているか？　普通のことだ。料理をするのが好きだ。何をしているのかについてはあまり話したくないけれど。料理も好きだし、ガールフレンドと映画を観に行くのも好きだっていう感じだから。でもつまり……私には非常に基本的な欲求があると思うんだ」

監督との仕事について

「ある監督と仕事をする時にはその人の作品をあまり知りたくない。ある映画をやるということになった時、監督が自分の作品のＤＶＤをくれたこともあった。でも私は監督と会った時『彼が好きだ。彼と働いてみたい。だからこの映画は観たくない』と思ったんだ。よく分からないけれど私が愚かなんだろう。（観ない理由は）分からない。例えばリドリー・スコット監督の場合は違う。『ブレードランナー』や『エイリアン』のような彼の作品を観て育ったから『グラディエーター』をやる前に彼の作品を知っていた。でも多分私はその人とのやりとりに基づいて判断したい、それだけなんだと思う」

監督について

「いい俳優などいない。すべては監督だ。いい俳優だと言われて俳優がそれを信じるなんて本当にくだらないことだ。俳優は完全に監督の人質だ。だから監督は私にとって最も重要な人物なんだ。私は監督たちのために働く。私の仕事は彼らのビジョンを実現する手助けをすることだ。私は従業員であるのが好きなんだ。誰かを幸せにするのが好きだ。もし監督たちが幸せでなかったら私は粉々になってしまう」

演技について

「映画の技術的なことはよく分からない。というか積極的に、意識的にそういうことを学ばないようにしてきた。私はただその瞬間に起きていることに対してオープンで、それを受け入れる状態でありたいんだ。何も強制したくない。映画において不誠実さは醜い。演技をするのはとても醜いことだ。そういうことはしたくない。子供の頃に演技について教えられることは完璧にまったくもって大間違い。セリフを覚えろとか、照明に従えとか、決まった場所で立ち止まれとか言われるけれど、どれもやってはいけない。セリフを覚えてはいけないし、決まった場所で止まってはいけないし、照明に従ってもいけない。自分の光を見つけるんだ。それが私の意見だ。他のみんなは間違っているというだろうが、これが私の考えだ」

演技について2

「(演技は)毎回違うものだ。だから考えすぎてはいけない。考えすぎも危険なことだ。『何か違うことをやらなくちゃいけない』と考えたりしてはだめなんだ。私は物事の本質に忠実でありたいから。もし私がやっていることを見て、前に私がやっていたことに似ていると思うのならそれでも構わない。どうでもいいんだ。見た目を変えたり訛りをつけて話したりする必要はない。私が求めているのはそんなことじゃない。私が求めているのは……。自分が追い求めているものが何なのかよく分からない。ただそれが手に入るのは、コントロールが効かないと感じ、一定の危険性がある時だ。そうでなければ何度も何度もそのシーンをやってセリフを確認し、抑揚をつけて言い『こうやってみたらどうだろう』と考えるようになる。そしてそういうくだらないことをすることで賢くなったつもりになる。僕はそういう俳優は好きではない。そういう自分が好きじゃないんだ。何年も前から『お前は今、表情を作り、怒っていると言い、それをくだらないスクリーンに押し付けてる』と思っていた。恥ずかしいことだよ。私は自分が理解できていないことを捉えたいだけだ」

演技について3

「私は一生幸せにはなれないだろう。いや、そうじゃないな。こういうことだ。もし自分のしたことに満足し幸せを感じるとしたら、それはとても悪い結果になる。それは保証する。もし私があるシーンをやって『うまくいったな』と言ったとしたら、それは世界で最悪のものだ」

演技について4

「完璧に決める、というのが何よりも嫌いなんだ。自分の中には、完璧に決めるということに感銘を受ける部分がある。私の好きな俳優の1人は確かに完璧に決めてみせる。他の人のそういう能力を評価しているが、私はそういう俳優にはなりたくない。完璧に決めたくない。負けるかもしれない、と思いながら法廷に入って行きたいんだ」

映画の撮影について

「（撮影前は）怖くてたまらない。いまだに前日には吐き気がするし何週間もすごい不安に襲われる。汗をかきすぎて衣裳から汗がしたたり落ちてくるから腋の下にはパッドを入れなくちゃならない。撮影の最初の3週間はただ汗をかくだけ。純粋に不安なんだが、それが大好きなんだ（笑）」

『ザ・マスター』で共演したフィリップ・シーモア・ホフマンについて1

「フィルはとんでもない天才だ。その天才と一緒に座っている。彼が話し始めると『この人と一緒にはできない。彼の後に何かを言うなんて無理だ！』と思う。彼は食料品の買い物リストを読んでも人の心を捉えられるんだ。彼の近くにいると信じられないような素晴らしい気持ちになった」

脚本について

「私にとっては脚本がすべてだ。脚本に書かれていることがきっかけで自分の考えや感情が湧き上がってくるような経験をいつもしてきた。でも個人的な経験を共有することに利点はないと思っている」

ヴィーガンであることについて

「私たちは自分の決断で家族や友人に影響を与えていると思う。ヴィーガンとはライフスタイルだ。靴や財布、革の産地について学び、できる限り自分を教育することが重要なんだ。ヴィーガンというライフスタイルにコミットし、それを友人と話したり、そのストーリーを投稿するだけでとても大きな意味を持つことがある。それこそが今、私たちがやっているムーブメントの始まりだった。アンダーグラウンドの小さなドキュメンタリー作品を数千人が観て友達と共有する。そういう行動はまだ力を持っていると思う。それに今はソーシャルメディアが多くの人に声を届けるためのプラットフォームを提供している」

ヴィーガンであることについて2

「私は人に対して『こうすべきだ』と思っていることを伝えるのにいつも苦心している。誰もが自分で自分の道を見つけなくてはならない。私たち一家が若い頃にベジタリアンになったのは健康のためではなく、畜産を理解することで精神的に影響を受けたからだ。思いやりのためだった。でも今は自分たちの消費が地球全体に与えている影響を意識するようになった。だからもう菜食は単なる個人的な選択とは思えない」

ヴィーガンであることについて3

「私たちは『ファインディング・ニモ』や『バンビ』といったあらゆるディズニー映画が大好きだ。動物が大好きで、動物を見るのも好きなのに、その動物と自分たちの消費する動物が繋がっていない。その事実を私はどうすればいいのか分からない。友人の中には私たちが食用にしている動物に何が起きているのか、その真実を子供に伝えることに慎重にならなくてはならないと考えている人もいる。『洗脳したくない』と言う友人もいるが、私は『何を言っているんだ？　牛乳パックはどれも洗脳だ』と返す。牛乳パックに描いてある牧場の〝幸せな牛たち〟を平気で見ているということは、今起きていることを冷静に受け止めているという明確なメッセージなんだ。その絵は牛たちの実際の生活を表現しているわけでも提示しているわけでもない。だから（子供に伝える上で）バランスが取れているのがどういう状態なのかは分からない。個人的な判断は親と子の間でなされるべきだ。でも私たちは正直になり、食べたり飲んだりする製品に関して存在する誤った情報と闘わなくてはならないと思う」

生きている間に人間の持っている動物に対する考え方が変わると思うかと聞かれて

「もちろんだ。この数年ヴィーガンは飛躍的に増えている。驚くべきだよ。私たちは常に変化を起こせるという楽観主義と信念を持たなければならないと思う。それにこれまで以上に多くの人々がヴィーガンについて話している。地域社会や医療現場からの支援も受けている。だから希望を持っているし、楽観的でいなくてはならない。そうでなくては破壊と虐殺があまりにも圧倒的で消えてしまいたくなる。私たちは変化が起こせると信じなくてはならないし、私はそう信じている」

息子をヴィーガンにするかと聞かれ

「もちろん彼がヴィーガンになってくれればいいと思う。でも自分の信念を子供に押し付けるつもりはない。正しいことだとは思わないから。私は子供に現実を教えていきたい。マクドナルドにはハッピーなセットがあると洗脳するつもりはない。〝ハッピーセット〟にハッピーなところなど、これっぽっちもないからだ。農場で小さな動物たちが素敵な生活を送ってブーブーブー、モーモーモーと鳴いている絵本に問題がないと教えるつもりもないし、彼らがハンバーガーになるんだと言わないつもりもない。嘘をそのままにしておくこともしないが、ヴィーガンになるよう息子に強いることもしない。息子の考え方を応援するよ。それが僕の計画だ」

試写について

「どの映画か分からないけれど、私の映画を観たある友達が『楽しかった』ってメールしてきたんだ。私は自分の出演している映画を知り合いに観て欲しくない。そういうやりとりが嫌だから。最悪なのは試写会だ。映画が終わると人が集まってくるから何か言わなくてはならない。いつも居心地が悪くて仕方がない」

自分の出演作について

「誰かが褒めてくれると『君が本当にいいと思った他の映画を5つあげてみて』と言いたくなる。自分が作った映画を観た友人とはあまりやりとりしない方がいいかもしれない。これが私の意見だ。だからもし観に行っても私にそれは言わないでほしい」

妻ルーニー・マーラについて

「彼女は私がネット上で検索をした唯一の女の子だ。私はそれまで一度もネットで女の子を検索したことはなかった」

人生について

「私はずっと生きづらさを感じてきた。最近になってようやく、年を重ねたからかなんなのか、自分は大丈夫だと思えるようになった。『もしかしたら嫌な経験かもしれない』とか『楽しめないかもしれない』『人とのつながりを得られないかもしれない。後から虚しさを感じるのかも』と思ってもそれでもいいんだと考えるようになった。私は人生の他の部分に意味を見出しているから。それが本当に私の支えになっている。私は人生を楽しんでいる。愛している。忌々しいくらい愛しているんだ」

ジョーカーを演じた時、役に共感を感じたかと聞かれて

「率直に言ってこれはチャレンジだった。脚本を読みながら同情することもあったし、反感を感じることもあった。まるっきり意味不明だ。彼は哀れで泣き虫だ。彼に心的外傷後ストレス障害の痕跡が見えた。アーサーは映画の冒頭で子供たちに襲われたが、彫像のように固まって反応できなかった。この男は子供の頃、身体的虐待を受けていた。そういう経験をした人に共感を覚えるのは難しい。そういうことが脳や考え方を変えてしまう。でも最初は彼に『くたばれ』と思った」

『ジョーカー』について

『ジョーカー』が（『タクシードライバー』のような）70年代の映画と共通しているのは、私たち観客がどう感じるべきかを言わない映画的形式で複雑な主人公を描いていることだ。私は間違いなくシネフィル（映画通）ではない。でも私たちはそういった作品を失ってしまったと感じている。コミックを原作とする映画だと動機や行動が常に明白すぎる。常に単純化されている。現実の生活を反映しているとは思えない。私は曖昧さを好む。ジョーカーは観客に考えさせるような存在であってほしい」

ドクター・ストレンジ役を断ったこと、MCUのようなブロックバスター映画に出演してこなかった理由について

「若い頃はそういう映画に対して少しお高く止まっていたかもしれない。そういうのがなくなったんだ。何本かそういう作品にその気を示して監督と会ったり近づいたりはしたけれど、最終的に充実感を得られなかった。私が役に感じる本能的なもの以上に、要求されるものの方がずっと多かったんだ。私は甘やかされてきた。そういう妥協をする必要がこれまでなかった。これまでブロックバスター映画の監督で『この見せ場はどうでもいい。キャラクターに焦点を当てよう！』なんて言う人には出会ったことがない。それは理解できるが、私はやらない方がいい」

これからどんな役をやりたいかと問われて

「若い頃から私を突き動かしてきたものがなんであれ、私はそれをまだやっていないような気がする。私はまだその感覚、目指しているものを達成できていないように感じて

いる。そしてもちろん、どんどん時間はなくなってきている」（注：当時ホアキンは40歳）

『ザ・マスター』で共演したフィリップ・シーモア・ホフマンについて2

「最近はみんな役作りとして誰もがタトゥーを入れたり、体重を増やしたり、髪を切ったりする。でもフィリップ・シーモア・ホフマンの演技は純粋だった。彼はその瞬間の真実を徹底的に追求していた。彼は若い頃、一生懸命キャラクターを考えようとしたが最後には自分の経験だけで十分だと気がついたと言っていた。私はそれをとても美しいと思ったし、彼の作品にはそれがよく表れている。楽々と何気なくやっているように見えるんだ」

アカデミー賞で主演男優賞を受賞した感想を聞かれて

「立ち上がってどこかに行くのも、何かするのも嫌だった。あの状況に興奮したくなかったんだ。自分らしくなかったから。怖くてたまらなかった。ただ『ありがとう。すごいな。おやすみなさい』とだけ言いたい気持ちもあった。でも話さなくてはいけない気もした。あそこに上がったら、母に感謝するだけでは済まないからね」

AFP/アフロ

A24最前線

NY鑑賞記：ロマンスとプロレスとナチス

文＝清水　節

最前線と銘打った以上、更新できない紙媒体の宿命として、いつの情報なのかを明らかにしておこう。執筆は2024年1月初旬。残念ながら、第96回アカデミー賞のノミネーションは、未だ発表されていない。

昨冬、「A24」に関するコラムを自由に執筆せよというオファーを受け、考え込んだ。検索すれば大抵の知識を得られる時代。社名の由来は、同名のイタリアの高速道路を走行中に起業を思い立ったことにあり、2012年に創業して翌年に配給を始め、やがて製作も手掛けるようになり、『ルーム』『ムーンライト』あたりからオスカー戦線の注目の的になって、昨春『エブエブ』でアカデミー賞を席巻し大ブレイク――。そんな情報は本誌読者の常識だろう。

包括的に書こうと思ってもA24は一様ではなく、文字数との格闘になる。個性的な監督に信頼を寄せ、クリエイティブを保証してプロデュースにあたっているゆえ多種多様。明確な製作理念を打ち立ててブランディングしているわけでもない。確かに強烈な印象を与えたアリ・アスター監督作品はA24の顔となったが、活発な製作状況のもと、スタジオ・イメージは次々と更新されている。いまはまだ立ち止まって振り返るより次が観たい。それが本音である。

そこで本稿締切りまでに国内試写は回り始めないが、これから日

本で注目されるA24作品を紹介しようと考えた。一念発起、2023年暮れに渡米して3本の映画をそれぞれ2回ずつ鑑賞してきた。まず、本国で6月に公開され、羽田・NY(ニューヨーク)往復便の機内でも絶賛上映中だったラブストーリー『パスト ライブス/再会』。年末公開のプロレスラー一家の伝説『アイアンクロー』。これら2本は、昨年末に今年4月5日に日本公開されることが決まった。もう1本は、年末に限定公開されたアウシュビッツ強制収容所所長とその家族を描く『THE ZONE OF INTEREST(原題)』。この作品は今日現在、まだ日本公開情報が聞こえてこない。というわけで、このコラムでは、日本における「A24最前線2024」について綴っていこう。

ソウル生まれの運命のふたりがNYでめぐり逢う切ないラブロマンス『パスト ライブス/再会』

A24作品を彩るカラーのひとつに、アメリカにおけるアジア系移民の物語がある。物書きを目指すNY育ちの中国系女性が、長春に住む祖母ががんにかかったことをきっかけに、東洋と西洋の異なる価値観の狭間で揺れ動く『フェアウェル』。80年代にアーカンソー州に移住して農場経営を志した韓国系の移民一家に、困難が降りかかる『ミナリ』。アメリカの片隅でコインランドリーを営む中国系の中年女性が、家族の問題に思い悩み国税庁に苦しめられているうちにマルチバースの扉が開き、あり得たかもしれない人生を疑似体験して生きる意味を見つめ直す『エブリシング・エブリウェア・オール・アット・ワンス』。アメリカンドリームの現実、引き裂かれる思い、そして、生きづらさ。さまざまな角度からマイノリティに寄り添ってきた。

A24と韓国のCJ ENMの共同製作による『パスト ライブス/再会』には、人生の哀しみを直視する側面もあるが、何よりも、運命をめぐって天を仰ぎたくなる切なさが胸を締めつける。脚本・監督を手がけたのは、これが長

編映画デビュー作となる韓国系カナダ人の劇作家セリーヌ・ソン。彼女の実体験に基づくパーソナルな物語なのに、観る者誰しも自身の身に引き寄せて、大切な人へ思いを馳せる普遍的なラブストーリーに昇華されている。

異なる3つの時代で編む三幕構成の本作には、粋なオープニングが用意されていた。NYのバーに3人の男女が座っている。中央の女性と左側の男性はアジア系。右側の男性は地元の人間だろうか。アジア系男女の会話は弾んでいるが、もう1人は入っていけない。その会話が聞こえないほど離れた席から覗き見るカメラに、彼らの関係を推し量る何者かの会話が被さる。ドラマに没入していく観客の視線が、メタフィクション化されたような幕明けだ。

物語は、牧歌的なソウルの風景で始まる。12歳の少女ナヨンと少年ヘソン。互いに恋心を抱いていた幼馴染のふたりに、別れの時がやってくる。カナダに移住することを決めたナヨンの母は、ヘソンの母にこう告げる。「何かを手放すと新しいものが手に入る」。人生を積極的に切り拓こうとする母の言葉は、やがて成長した娘が下すことになる決断を示唆している。12年が経過し、ナヨンはノラ（グレタ・リー）という名で劇作家を目指しながらNYで暮らしていた。ひょんなことから彼女は、いまも韓国にいるヘソン（ユ・テオ）をネット上で捜し当てる。SNSが発達した2010年代のテクノロジーによって、オンライン画面で再会したふたりの距離は急速に縮まっていく。だが、移民として苦労を重ねてきたであろうノラが、感情を振り払って下す、ある決断には複雑な思いを禁じ得ない。さらに12年の歳月が流れ、ノラはアーサー（ジョン・マガロ）という作

家と結ばれていた。彼女の現在を知りながら、初めてＮＹを訪れるヘソン。ソウルの幼馴染が、24年越しのフィジカルな再会を果たす時、何が起きるのか――。

これまでに映画は、いくつもの再会のかたちを描いてきた。映画通ならすぐに『哀愁』『再会の時』『恋人たちの予感』『ビフォア・サンセット』あたりを想起できるはず。緩やかな三角関係を伴うめぐり逢いによる、狂おしさ。刹那の感情に流されない展開は真に迫っているが、対照的に、引用されるのは意外な映画だった。オンラインで逢瀬を重ねたノラは、執筆に集中するためアーティスト用のレジデンスに籠ると告げた。それはＮＹの東・モントークにあって、その街が登場する『エターナル・サンシャイン』の話を彼女がすると、ヘソンは早速視聴する……。何気ないシーンだが、彼女はそのレジデンスでアーサーと出会うのだ。『エターナル・サンシャイン』の恋人同士が、互いの存在を忘れるために記憶除去手術を受けるというストーリーのことを思えば、その後のノラとヘソンの運命にとって、なんと巧妙かつ皮肉な引用なのだろう、と溜息をついた。

タイトルの「パスト ライブス」とは「前世」のこと。こんなセリフが登場する。「韓国語には〝イニョン〟という言葉がある。〝摂理〟や〝運命〟の意」「見知らぬ者同士がすれ違った時、衣服が触れ合えば運命。それは、前世でふたりに縁があったから」。ノラが、アーサーと出会った頃に教える言葉だ。アメリカで生き抜くため、合理的な生き様を選んできたはずの彼女の心の奥底には、実は変わらぬアジア的な思考がある。結ばれてからも韓国語で寝言を言うノラに知られざる一面を感じ、嫉妬するかのように韓国語を学び始めたアーサー。いかにも作家らしく彼は、ヘソンの訪問を前にして自らを物語の登場人物に置き換え、「運命を阻む邪悪な白人」と自虐的に肩をすくめる。思慮深さやそこはかとないユーモアが愛を確かなものにしていく。

劇的展開や非日常性を避けながら、心の琴線に触れる会話や表情で紡ぐ演出。人生の岐路で選んだ道を肯定し、再び歩み出すための美しい叙情詩のような映画である。

「呪われた一家」フォン・エリック家の栄光と悲劇
80〜90年代プロレス界衝撃の実話『アイアンクロー』

ノスタルジックな近過去としての80年代が、映画のモチーフになって久しいが、実在のプロレスラー親子にスポットを当てたこの切り口には不意を突かれた。60〜70年代に恐怖を巻き起こしたプロレスラー、フリッツ・フォン・エリック。80〜90年代を駆け抜けた彼の息子たち、フォン・エリック兄弟。ギリシャ悲劇のような実話の裏には、監督・脚本を務めたインディーズの雄ショーン・ダーキン（『マーサ、あるいはマーシー・メイ』）が導くように、いまの時代にこそ語られるべき真実が秘められている。

冒頭はモノクロによる往年の試合。冷酷な表情の若きフリッツが、リング上で手のひらを大きく開いて掲げ、観客席に向かってアピールしたかと思うと、相手の顔面を指先で強く掴んで締め上げる必殺技、アイアンクローをお見舞いする。60年代プロレスは、ゴールデンタイムにお茶の間のブラウン管で家族観戦する人気番組で、いまにして思えば、勝負は粗野でシンプルだった。日本に襲来する外国人レスラーの中でもひときわ存在感を放っていたのが、「鉄の爪」の異名を取るフリッツだ。握力120キロ、開いた手の幅32センチの触れ込みで、ジャイアント馬場の巨体を片手で掴んだまま持ち上げてしまう。コメカミから血がしたたり、頭蓋骨を粉砕するといわれた威力にリアリティを覚え、当時の素朴な視聴者は震え上がったものだ。

テキサス出身、本名ジャック・バートン・アドキッソンのフリッツは、ドイツのベルリン出身を名乗り、恐怖感を醸し出すべく、いまでは考えられない「ナチスの亡霊」というギミックで成功したヒールだった。やがて正統派に転向し、いくつもの王座を獲得して現役中にプロモーターも兼任。幼い長男を事故で亡くした悲しみを乗り越え、手塩にかけて育てた息子たち、ケビン、デビッド、ケリー、マイクに伝家の宝刀アイアンクローを伝授して、70年代半ばから次々とマット界へ送り込む。本題はここから始まる。

父の時代より華やかになったが、まだ演出が過剰ではなかった、明るく元気が出る80年代プロレスが見事に再現されている。主人公は、ザック・エフロンが演じるケビン・フォン・エリックだ。実際は次男だが、残された長兄。筋骨隆々に改造した肉体を披露するザックは、優しく繊細だったケビンの内面をも見事に表現している。『ハイスクール・ミュージカル』の軽妙なイメージからは程遠い。

後に妻となるパム（リリー・ジェームズ）とのデートの際、父が苗字を変えたせいで我が家は呪われている、と良からぬ未来を予見するかのようにケビンが語る場面には息を呑む。一方、パムからプロレスのフェイクを指摘されると、ケビンは筋書きがあるアートとしての素晴らしさを力説する。フォン・エリック兄弟は皆、厳格な父の歩んできた道を信じ、厳しい躾と教えに従ってきたのだ。

フリッツは、リング上だけではなく家庭内でも君臨した。絶対的な父性に基づく家父長制。その方針は「力」こそすべてであり、弱みや苦しみを見せず目的のためには手段を選ばず、ベストを尽くして頂点に立てば、誰もお前たちを傷つけることはできない！　というものだ。マット界を生き抜き、独自の地位を築いてきたフリッツにとって、経験に基づく偽らざる信条なのだろう。そうした価値観は、決して古きアメリカだけのものではないことを、スポ根カルチャーで育った者なら、誰でも身をもって知っている。

しかし、時代は移り変わり、個性が多様な若者たちは、心身ともに限界をきたす。1984年にケビンのすぐ下の弟デビッド（ハリス・ディキンソン）が、試合で遠征先の東京のホテルで急死してからというもの、フォン・エリック兄弟を悲劇の連鎖が襲う。本作はその悲惨な現実に向き合っていく。ただし、実在した末っ子クリスが、劇中に全く登場せず、その非業の死も描かれなかったことは残念でならない。監督は、あまりの悲劇の多さに観客が耐え切れないのではないかと考えたようだが、たとえフィクションとはいえ、その脚色改編が正しかったとは思えない。

ただし、絶望のままでは終わらない描き込みは、大いに評価したい。兄弟のうち唯一生き残ったケビンの視座から、一家の呪いの本質は、迷信などとは無縁で、いわゆる「トキシック・マスキュリニティ（有害な男性性）」にこそあったと捉え、男らしさの呪縛から逃れて、父フリッツが来た道とは別の未来を見つめるのだ。

アウシュビッツ強制収容所所長のヘスとその妻が地獄の隣に築いた楽園『THE ZONE OF INTEREST』

第2次世界大戦でナチス・ドイツが行ったホロコーストを、映画はさまざまな角度から描いてきたが、『THE ZONE OF INTEREST（原題）』のアプローチは斬新だ。本作は、イギリスの小説家マーティン・エイミスの同名小説を原作に、ジョナサン・グレイザー（『記憶の棘』『アンダー・ザ・スキン 種の捕食』）が監督・脚色を務め、昨年のカンヌ国際映画祭でグランプリを受賞した米・英・ポーランド合作だ。タイトルは「重要な区域」を表すドイツ語の英訳。ここでは、ポーランド南部オシフィエンチムの郊外に建設された「アウシュビッツ強制収容所」周辺を指している。

不穏なアンビエントサウンドがオーバーチュアのように流れる暗黒画面がしばらく続き、柔らかい陽光を浴びて小川のほとりで水遊びに興じる大人や子どもたちのロングショットが現れる。アウシュビッツ強制収容所所長ルドルフ・ヘス（クリスチャン・フリーデル）と妻ヘドウィグ（ザンドラ・ヒュラー）、そして5人の子どもたちだ。意表を突かれる幕明けだが、彼らを観察するかのような客観性は全編のトーンを象徴している。やがて、収容所に隣接して建てられたヘス邸の日常が断片的に積み重ねられていく。

幾何学的な構図による冷徹な眼差しは、スタンリー・キューブリックやミヒャエル・ハネケを彷彿とさせる。資料によれば、収容所の生存者やヘス邸で働いていた人々の証言に基づき、邸宅を再現。撮影監督ウカシュ・ジャル（『COLD WAR あの歌、2つの心』）は、最大10台のカメラを埋め込み、美化しないことを心掛けて自然光をベースに現場にクルーがいない状態で遠隔撮影したという。

戦時下でも裕福な暮らしぶ

り。囚人の持ち物はヘス邸に運ばれてくる。届いた毛皮のコートをヘドウィグが試着し、姿見に全身を映すシーンのおぞましさは序の口だ。部屋で知人と交わす何気ないお喋りの合間に、絶えずどこからか異様な音が聞こえてくる。それが、悲鳴や叫び声、機械の轟音であることに気づき、思わず硬直してしまう。子どもたちは、時折聞こえる銃声を気にすることもなく遊びに夢中。遠くの煙突から灰と煙が上がっている。庭の高い塀には有刺鉄線が張り巡らされ、その向こうは収容所なのだ。異常さなど我関せず、ヘドウィグは丹精込めて造った庭園の花壇や菜園を、母に自慢げに見せる。すると母は、「まるでパラダイスのよう！」と感嘆するではないか。地獄と楽園。その極端な対比によって、収容所内で行われているむごい行為を一切見せぬまま、すぐ隣で幸福を手に入れた家族の日常が、ホロコーストの残虐性を一層際立たせる。

ルドルフは、非情な組織の任務を一見淡々とこなしているように見えるが、動揺を隠せない局面が何度か訪れる。川に流れて来た人骨に気づいた時、彼は慌てて子どもたちを自宅へ連れ帰り、執拗に足を洗った。生真面目なルドルフは、効率よく大量虐殺すべくガス室を開発した張本人である。そんな彼の昇進が決まり、ベルリン方面への転任を命じられる。楽園を手放したくないと抗うヘドウィグの激昂は、静謐な本作の張り詰めた糸が切れる瞬間だ。

実は、ヘス邸やルドルフからカメラが離れ、別の被写体を追うシークエンスが、幾度となくインサートされる。そ

れは赤外線カメラで撮られた、ネガ像のような強烈なコントラストのモノクロ映像で、少女らしき人物が夜間に家を抜け出し、密かに摘んだリンゴを道端に置いていく。どうやら、収容所の囚人たちが見つけて食べられるようにしているようだ。初見では唐突で抽象的すぎるこのシーンの真意を判断しかねたので、鑑賞後にリサーチしてみた。一連の少女のシークエンスは、グレイザー監督が本作製作のためのリサーチ中に出会った、90歳のポーランド人女性の証言にインスパイアされているという。当時12歳でレジスタンス運動を行っていた彼女が、飢餓に苦しむ囚人たちのためにリンゴを置いていった実話を盛り込んだのだ。

　哲学者ハンナ・アーレントは、ナチス戦犯アドルフ・アイヒマンの裁判を傍聴し、彼の言動に根源的な悪を見出せず「悪の凡庸さ」という概念を当てた。残忍な行いは、ごく普通の人々によって引き起こされる事実への警鐘として理解できるが、果たしてナチスの中枢で大量殺戮を指揮した責任者を「凡庸」という形容で片づけられるのだろうか、と本作を観て改めて疑問が湧いてきた。確かにヘス夫妻は善き家庭人であったのだろう。しかし幸福の追求のため、楽園を維持するため、自らを鈍麻させ続けた姿は思考停止とは異なり、非凡な悪意の表れと言えないだろうか。

●

最後に、今後のA24作品に触れておきたい。まず、ゲームクリエイター小島秀夫と組んで共同製作することが発表された〝実写版デススト〟こと『DEATH STRANDING』の続報には期待したい。すでにA24は、数多くの新作ラインナップを発表しているが、ここでは年末のNYのシネコンで上映されていた劇場トレーラーのうち、まもなくアメリカで公開される注目のA24作品を3本厳選して紹介しよう。

『CIVIL WAR（原題）』アレックス・ガーランド（『エクス・マキナ』『MEN 同じ顔の男たち』）が監督・脚本を務め、「内戦」を意味するタイトルが付けられた本作。プロットはまだ伏せられているようだが、近未来SF的な大規模戦闘シーンに圧倒される。アメリカ国内の西と東で暴動が起き、ホワイトハウスが対処に追われている緊迫した様子が窺える予告編だ。出演は、キルスティン・ダンスト、ジェシー・プレモンス、ニック・オファーマン、ケイリー・スピーニー、ヴァグネル・モウラ。米4月26日公開。

『LOVE LIES BLEEDING（原題）』監督は、サイコホラー『セイント・モード／狂信』で英国インディペンデント映画賞新人監督賞を受賞したローズ・グラス。内気なジムの従業員ルー（クリステン・スチュワート）が、夢を追う女性ボディビルダーのジャッキー（ケイティ・M・オブライアン）と恋に落ちるが、やがて暴力に巻き込まれていく。スタイリッシュなアクションが印象に残る、情熱的なロマンティックスリラー。共演は、ジェナ・マローン、アンナ・バリシニコフ、エド・ハリス。米3月8日公開。

『PROBLEMISTA（原題）』風変わりな予告編が脳裏に焼き付いて離れないコメディ。監督・脚本・主演は、フリオ・トレス。「サタデー・ナイト・ライブ」の脚本を手掛けたコメディアンの監督デビュー作だ。エルサルバドル出身で玩具デザイナーを志すアレハンドロ（フリオ・トレス）が奇抜な発想に命を吹き込もうと奮闘。就労ビザ失効が迫り、アート界から追放された変わり者（ティルダ・スウィントン）のアシスタントとして働くことに。プロデューサーにエマ・ストーンとデイブ・マッカリーが名を連ね、共演はイザベラ・ロッセリーニ、グレタ・リー。昨夏に公開される予定だった本作は、ストライキの影響で公開無期延期になっていたが、ようやくお披露目に至るようだ。

硬軟取り混ぜてプロデュースするA24の多彩な作品の数々。その勢いは、しばらく止まりそうにない。

『パスト ライブス／再会』
Past Lives
2023年アメリカ・韓国合作映画／監督＝セリーヌ・ソン／出演＝グレタ・リー、ユ・テオ、ジョン・マガロ／106分／配給＝ハピネットファントム・スタジオ／4月5日よりTOHOシネマズ 日比谷ほか全国にて公開

『アイアンクロー』
The Iron Claw
2023年アメリカ映画／監督・脚本＝ショーン・ダーキン／出演＝ザック・エフロン、ジェレミー・アレン・ホワイト、ハリス・ディキンソン、モーラ・ティアニー、スタンリー・シモンズ、ホルト・マッキャラニー、リリー・ジェームズ／配給＝キノフィルムズ／130分／4月5日よりTOHOシネマズ 日比谷ほか全国にて公開

『The Zone of Intrest（原題）』
2023年アメリカ・イギリス・ポーランド合作映画／監督＝ジョナサン・グレイザー／出演＝クリスチャン・フリーデル、ザンドラ・ヒュラー／106分／配給＝ハピネットファントム・スタジオ

All About A24

出演者＆監督が語るA24作品の見どころ

『グリーン・ナイト』のデヴィッド・ロウリー監督は、A24は最高のスタジオだと断言する。「A24の最も需要な使命は、過去の映画とは明らかに違う世界を観客に教えること」という監督の言葉が、いま最もハリウッドで注目されているインディペンデントの映画製作・配給会社を的確に言い表している。出演者と監督のインタビューでA24作品の魅力を紹介する。

『TALK TO ME／トーク・トゥー・ミー』
ダニー・フィリッポウ
マイケル・フィリッポウ

構成＝編集部

——サンダンス映画祭で上映されて注目を浴び、全世界で大ヒットしている本作ですが、「反響はいかがでしたか？ジョーダン・ピール、アリ・アスター、サム・ライミなどからも絶賛されたと聞いていますが、お三方からはどんな言葉や感想をもらえたのですか？

ダニー・フィリッポウ（以下D） 映画への反響がすごくて圧倒されているよ。日本に来て映画について話ができることも、すごくラッキーだと思っているし、世界中でプレミアされて、とても光栄に思っている。そう、そういった映画監督たちからいろいろなコメントをもらって感激している。こんなにいろいろなことが起こっているのが、いまだに信じられない、夢を見ているみたいだ。

マイケル・フィリッポウ（以下M） 彼らは僕らの映画が大好きだと言ってくれただけでなく、今は友達なんだよ！

携帯に電話番号が入っているし、たまにイタズラ電話したりするんだ（笑）。

――YouTuberとして大活躍されているお2人ですが、長編映画を撮ろうと考えたのはなぜでしょうか？　以前から長編映画に挑戦したい気持ちはあったのでしょうか？

D　子供の頃から僕らの一番の目標、夢は長編映画を作ることだった。YouTubeはいずれ監督するための練習だった。VFX、特殊効果やメイクアップなどをもう十分に練習できたと思ったから、映画を作る時期がきたと思った。思い切って飛び込んで、映画を作ったんだ。

――長編デビュー作に「ホラー映画」というジャンルを選んだ理由を教えてください。

D　ずっとホラー映画が大好きだった。説教臭くなく、ダークなテーマを探るための楽しくていい方法だと思ったんだ。人生のよりダークな側面を表現するクールな方法だよね。

――A24との仕事は如何でしたか？　A24とのエピソードを具体的に何か教えてください。

M　A24が来る前に、この映画はインディペンデント映画として作られたんだ。A24はサンダンス映画祭中に僕らの映画に参画することになった。いろんなスタジオが配給し

ダニー・フィリッポウ
Danny Philippou

「A24は映画監督第一主義」

マイケル・フィリッポウ
Michael Philippou

「本当はA24のファンで大好きだから、心の中では狂喜しまくっていたよ」

たいとアプローチしてきたけど、僕らはA24が大好きなんだ。A24と同じ部屋にいて、彼らが僕らの映画を大好きだという話をされたら、もうこんな感じ（訳註：両手を広げて、もう感激、といったポーズを取る）だった。でも彼らの前では「ふうん、そうなんだ」くらいにカッコつけてたけど、本当はA24のファンで大好きだから、心の中では狂喜しまくっていたよ。

D 彼らは映画監督第一主義、映画監督に友好的だからね。僕らの映画を配給してくれたなんて、すごいことだ！

M ちょっとしたエピソードなんだけど、最初に僕らとA24が話をして、彼らがニューヨークに戻ったんだ。ほとんどの人のベースがそこだからね。で、他の人のオファーを聞いて、また次の日、もっといろんな人を連れて戻ってきた。そこでA24のみんなと話したんだ。存在感を感じられた、最初の会社だった。みんなの顔が見られてパーソナリティが感じられ、すごく情熱的だったのが、僕らには嬉しかった。

——双子で監督をされていますが、2人でどのように作品を築き上げていくのでしょうか？

D 脚本を書く時は、マイケルと一緒には書けないんだ、大喧嘩になるからね。だから僕は共同脚本家のビル・ヒンズマンと一緒に脚本を書いた。一旦脚本ができたら、それをマイケルに送った。開発はそれぞれで行う。でも撮影の時は、制作が始まると、僕らは同時に現場に一緒にいるよ。

M ダニーがメインの監督の「声」になる。僕は周りで起きていることに目を配る。もしセリフを変えたくなったり、違うアイディアが浮かんだら、まずダニーに話をする。役者たちを混乱させたくないからね。でも2人で意見が合わないと（訳註、ダニーを殴る仕草）、喧嘩になる（笑）。僕が大抵勝つけどね。

D はい、はい（笑）。マイケルは双子の中でも肉体派だ

からね、自分より弱い奴と喧嘩するんだ（笑）。ポストプロダクションで、マイケルは音響効果とか音楽に集中し、僕は特殊効果とかカラーグレーディング（映像の色を調整する作業）に集中する。僕らはそれぞれ編集をする。編集者がまだ編集さえしていないのにね。編集のためにスタジオに集まった時には、僕もマイケルも編集者もそれぞれ編集したものがあった。だからどのパートはどれが一番強いか探さなくちゃいけなかったんだ。可哀想な編集者！　大抵僕の編集の方が彼よりずっといいんだ（笑）。

M　ま、でも完成版は彼の編集とはすごく違うんだけどね（笑）。

——憑依チャレンジの設定はどのように考案されたのでしょうか？　モチーフになる作品などありますか？

D　僕らと一緒に育った子供たちが隣にいた。1人の子が初めてドラッグを試して、すごく悪い反応を起こし、床に転がって痙攣していた。一緒にいた他の子たちは、それを撮影して笑っていた。その映像を見て、ずっと嫌な気持ちがしていた。ホラー映画では、自分が嫌だとか怖いと思うことを探っていくのがとても大事だと思う。だからそれが大きな触発点になった。ホラー映画に特定して言うと、『エクソシスト』は全てのエクソシズム映画、憑依映画の祖先だよね。あの映画が今現在でもすごく強烈なのは、登場人物やドラマを第一にして、登場人物同士の力動関係がホラーと同じくらい強烈に作用するからだと思う。『エクソシスト』くらい登場人物たちがすごくリアルに感じられると、登場人物たちをもっと心配するよね。

——影響を受けたコンテンツを教えてください。特に、日本の作品で影響を受けたものはありますか？

M　ポン・ジュノ監督の『殺人の追憶』は、とてもインスピレーションを受けた僕のお気に入り映画の1つだ。彼は、ホラー、コメディ、ドラマなどいろんなジャンルを統合して1つの映画にスムーズに取り入れている。すごく賢い映画づくりをしている。日本は最高のホラー映画を作ることで歴史的にも有名だ。いつも僕らが大好きで観ていたのが、『蜘蛛巣城』『鬼婆』『呪怨』『リング』、『the EYE アイ』、漫画家の伊藤潤二とかね。日本から出てくる創造性やオリジナルストーリーにはとても触発されるよ。本物のホラー映画を観るなら、日本映画を観ろと友達にも言っている。

D リメイクを観るなってね（笑）。

M リメイクでも悪くない作品もあるけど、オリジナルとは比べ物にならないよね。

D うん、うん、日本映画の有名なものって、フレディーとかジェイソン、チャッキーみたいに有名だしね。

——本作で特にこだわったシーン、力を入れたシーンや、印象に残っているシーンを教えてください。また、どのようなこだわりがあったのでしょうか？

M うん、あるシーンがあって。すごく撮影は短かったんだ。撮影は8週間だったけど、どんどん短くなって、全部で5週間になった。ある日、ある家での撮影現場で、最終日だった。すごく大規模な特殊効果のシーンとモンタージュ（複数の映像の断片を組み合わせて、1つの連続したシーンを作る映画技法）のシーンがあった。モンタージュのシーンのために50ショット必要だった。第1助監督が「2時間しか撮影時間がないから、どう計算しても間に合わない」と言ったんだ。そこで僕らは「その2時間、僕らに現場を仕切らせてほしい」と言った。カメラを2台使って、「あれやって」「それ取って」と叫びながら監督して、みんな走り回って、ブームボックス（ラジカセ）で音楽を鳴らして、とすごく自由に流れるような撮影だった。すごくクレイジーだったから、現場の人たちはあまりハッピーじゃなかったかもしれないけど、結果はあの現場のエネルギーがスクリーンに映し出されて、僕のお気に入りのシーンの1つになった。すごく張り詰めた日々の1つだったな。

D それがあのモンタージュシーンだった。プロデューサーが僕たちを横に連れ出して「長編映画はこんな作り方はしない」と怒られたんだ。

M プロデューサーに、すごく厳しい顔で「撮影現場では、あんな仕切りをしてはいけない」と言われたよ（笑）。

D でもああいうエネルギーを捉えるには、その場にああいうエネルギーがなくちゃね。だから好き勝手にやったんだ（笑）。

——そもそもYouTubeをはじめとする創作活動はどのようなモチベーションで始められたのでしょうか？ 幼少期から2人で何かを作ることはあったのでしょうか？

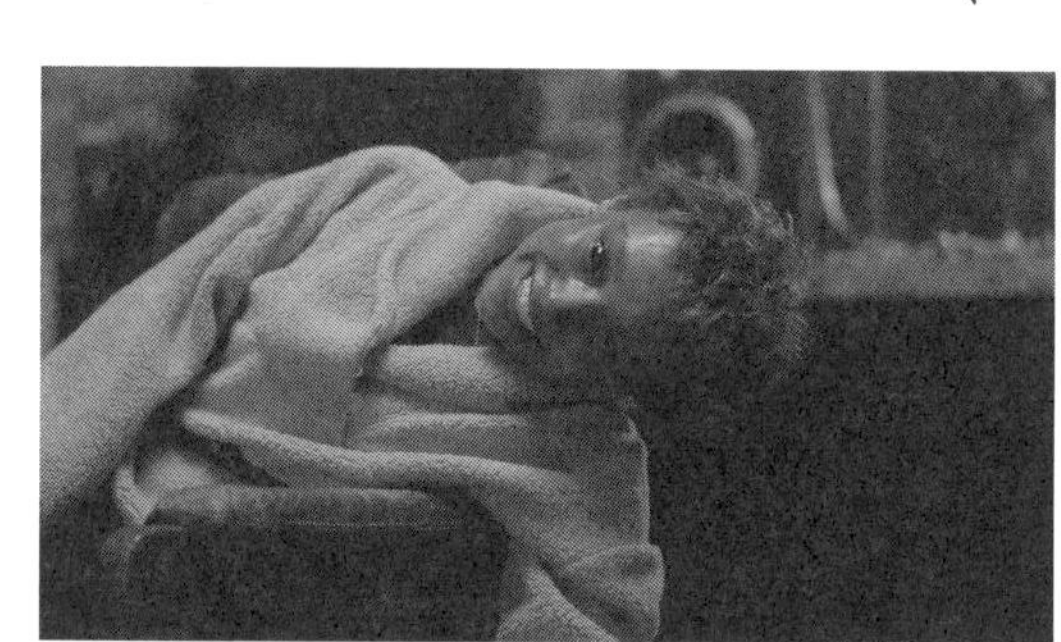

D　覚えている限り、何かを撮影する前は、おもちゃで映画ごっこ遊びをして、その映画の表紙の絵を描いたりしていた。いつも映画の中にいるつもりで演技して、友達とそれを撮影したりしていた。YouTubeはなんとなくやっただけで、元々YouTuberになろうとは思っていなかった。ただ自分たちのコンテンツを外に出す方法だったんだ。僕らは子供の頃、ＴＶ番組を１００話、映画６本くらい作ったんだけど、誰も観ていない。どこにも投稿しなかった。だからYouTubeは、何か作ってどうなるか見てみよう、みたいな感じだった。だから、何か作るっていうのは、覚えてる限り、僕たちはずっとやってきたことだった。

M　死ぬまでだね。

D　僕がマイケルを殺すよ！（笑）

――本作の続編『Talk 2 Me（原題）』も決まっていますが、今後挑戦したいことや意気込みを教えてください。

M　うん、『Talk 2 Me』（手で二本指を突き出して）。

D　これ、マイケルがやるダサいやつ。ポスターになってる。恥ずかしい（笑）。いやいや、やり直し。『Talk to Me／トーク・トゥ・ミー』の続編だね、今この映画の脚本を2バージョン書いているんだ。どっちの方向がより強いか、どっちが強いかを見るためには両方のバージョンを探ってみるしかない。だから、今は2つのバージョン両方を書いている。でもどこかで決めなくちゃいけないけど。

M　あと他にも、12本くらいの映画のアイディアを開発してる。『Talk to Me／トーク・トゥ・ミー』の時みたいに、どれが一番早く動き出すか、様子を見ているんだ。僕らはＡＤＨＤ（多動性障害）だから、あっち行ったり、こっち行ったり。だから今の課題は、いろんなプロジェクトにうまく時間配分するってこと。でも、また来年撮影できたらいいな。

『TALK TO ME／トーク・トゥ・ミー』
Talk to Me

2022年オーストラリア映画／監督＝ダニー・フィリッポウ＆マイケル・フィリッポウ／出演＝ソフィー・ワイルド、ジョー・バード、アレクサンドラ・ジェンセン／95分／配給＝ギャガ／丸の内ピカデリーほか全国にて公開中　●母親を亡くした女子高生のミアは、友人と一緒にSNSで流行りのある"ゲーム"に参加する。ルールは簡単で、①"手"を握り、②「トーク・トゥ・ミー」と語りかけると、③自分の身体に霊が憑依する。ただし、必ず90秒以内に手を離すこと。最高に危険で、最高にハイになれるそのゲームのスリルと快感にのめり込んでいたある日、いつものように手を握り、語りかけると、そこに現れたのはミアの母親だった。

『僕らの世界が交わるまで』ジェシー・アイゼンバーグ

構成＝編集部

『ソーシャル・ネットワーク』や『ゾンビランド』の主演などで知られる個性派俳優、ジェシー・アイゼンバーグの初監督作。しかも彼自身のオリジナル脚本で、そのユニークな感性と、鋭く繊細な人間観察眼を余すところなく発揮した最高の〝映画作家デビュー〟だ。

　本作は、自伝的作品ではなく、登場人物もすべて架空の人物であるが、アイゼンバーグの発想のきっかけとなったのは、亡き義母である。彼女はＤＶ被害者のためのシェルターを設立・運営し、インディアナ州の彼女が住んでいた地域で多くの家族に人生を変えるような影響をもたらしていた。喜劇のような物語の中心にいるのは、ヒーローたちでさえ不器用で戸惑いがあるということに気づいているエヴリン・カッツ。長年、献身的な活動家として、起きている時間はほぼ、ＤＶ被害者のためのシェルターで緊急に助けが必要な家族に手を差し伸べている。一方、息子のジギーは1日の大半を自分の部屋にこもり、ＳＮＳでつながっている世界中の2万人のファンに向けて気まぐれなロックソングを歌っている。2人とも、その方法は面白いほど真逆であるが、他人の人生にかかわろうとしている。だが2人が一緒にいるときは、お互い気持ちを通わせようともしない。

「私が考察したかったもっと大きな疑問は、まったく価値観の違う大切な人たちと仲良くやっていくにはどうしたらよいのかということだった。これは常に家族の間で浮上する問題だ。ある女性がどんな時も他人を最優先にすること

ジェシー・アイゼンバーグ
Jesse Eisenberg

「僕はこの2人を通じて、
個人的に感じている
さまざまな疑問を呈している」

を心がけてきたのに、息子は彼女が常々浅はかだと思っていたような人物になっているのを知った時、彼女はどんな心境なのかをじっくり考え始めたんだ。エヴリンにとって、問題はどうしてこんなことが起こったのか、そしてどうやってこの理解に苦しむ人物に育ててしまったのかということだけでなく、今、彼とどう関わっていけばよいのかということなんだ。映画を観ていくうちに観客に気づいてもらいたいことなのだが、掘り下げていくとエヴリンとジギーは似ているところがたくさんある。だが映画のなかの当人たちは根本的な価値観の衝突にとらわれて、そのことに気づけないんだ」

　人々に純粋な楽しみを提供する喜びに満ちたクリエイティブな生活、あるいは世界中で最も苦しんでいる人々を献身的に支える生活という一見したところ正反対の2つの生き方から選択するジレンマ。青年の頃から世間の注目を浴びてきたアイゼンバーグは、自身の人生においてもこのジレンマを感じている。

「芸術の世界で育つと、自分がおこなう世界への貢献は、大局的に見ると役に立っているのかどうかという疑問が常に存在するんだ。芸術の世界に身を置くほとんどの良識のある人々と同じように、私はよくこう自問自答するんだ。『私は何か本当に意義深いことに貢献しているのだろうか、それともただ好き勝手なことをやっているだけなのだろうか』と。僕はこの2人を通じて、個人的に感じているさまざまな疑問を呈している。僕自身、広く知られた俳優であり、アーティストとして活動しているわけだけど、自分の仕事の意義についてある種のアンビバレンツを感じている。対して僕の妻は活動家だし、僕の両親は医療ケアシステムの中で教師として働いている。だから身の回りの人たちの仕事の意義と自分の仕事の意義とをいつも比べてしまう。自分の中にあるそういう矛盾をこのストーリーに登場する2人のキャラクターで具現化している」

　アイゼンバーグは映画の中でどちらか一方を取

り上げているのではなく、ジギーとエヴリンが自分たちの選択とどう向き合っているのかを踏み込んで探っている。
「こんなふうに議論できるだろう。ジギーは2万人の愛すべきファンから対価を受け取りながらも、彼らの人生を幸せにしている。ジギーはファンが個人的に高く評価する何かを提供し、おそらく彼らを元気づけてもいるだろう。一方、エヴリンは生きるか死ぬかの状態にある人々にもっと直接的で大きな影響をもたらすために日々血と汗を流している。もっともその影響はたいてい1対1の関係で与えられる。これは、私が自分の人生において解決不可能な対立だとみなしている芸術対社会正義の戦いを表現しているんだ」

　映画では、家族の役割に縛られているエヴリンとジギーに思いがけないはけ口を与える。感じのよい2人の若者――他人を守ろうとするカイルと熱意にあふれるライラ――と関係を築かせるのだ。2人は、エヴリンとジギーが互いにうまく伝えられない気持ちを代理として受け止めるようになる。
「エヴリンにとってカイルは、彼女がジギーに対してするのを諦めていたやり方で関係を形成できる無垢な存在だ。そしてジギーにとっては、政治と倫理に強い関心をもつライラに惹かれたことが、政治的に活動できると証明しなければならないと思う初めての動機となったんだ」
　これらの関係は、どちらも計画通りには進まない。だが複雑な関係に陥っても彼らが光を当てるものの中心には、シンプルなものがある。
「常に物語の根底にあるのは、エヴリンとジギーは互いに寂しい思いをしていること、そしてそれが2人の人生の価値を損なっているということだ。誰かと再びつながることは、容易ではないし、すぐにできることでもない。エヴリンとジギーがかつてのつながりを求め始めていると観客が感じてくれたらうれしいよ」

『僕らの世界が交わるまで』
When You Finish Saving the World
2022年アメリカ映画／監督・脚本＝ジェシー・アイゼンバーグ／出演＝ジュリアン・ムーア、フィン・ウォルフハード、アリーシャ・ボー、ジェイ・O・サンダース、ビリー・ブリック／88分／配給＝カルチュア・パブリッシャーズ／TOHOシネマズ シャンテほか全国にて公開中
●DV被害に遭った人々のためのシェルターを運営する母・エヴリンと、ネットのライブ配信で人気の高校生ジギー。社会奉仕に身を捧げる母親と、自分のフォロワーのことしか頭にないZ世代の息子は、いまやお互いのことが分かり合えない。しかし彼らの日常にちょっとした変化が訪れる。

『パスト ライブス／再会』
セリーヌ・ソン監督
グレタ・リー

文＝猿渡由紀

今年1月のサンダンス映画祭でお披露目され、大絶賛を受けた「パスト ライブス／再会」は、韓国系カナダ人セリーヌ・ソンの長編映画監督デビュー作。

自身の経験に基づくこの映画は、主人公ノラの子供時代に始まる。12歳のノラには仲の良い男の子の友達ヘソンがいたが、ノラの家族はカナダに移住することになり、悲しくも離れ離れになる。以来、連絡はすっかり途絶えていたが、大人になった2人は、ソーシャルメディアを通じて再びつながることに。ビデオ通話でお互いに会話することを毎日楽しみにするが、遠く離れていて会うことはかなわない。ならば、しばらく話すのをやめようと決め、その間、2人の人生にはそれぞれにいろいろなことが起きた。

それからしばらくして会話が復活し、ようやくニューヨークでの再会が実現。その頃までにノラは、アメリカ人男

セリーヌ・ソン監督
Celine Song

「ひとりの人生の中には
いくつものコネクションが存在し、
そのどれにもちゃんと意味がある」

グレタ・リー
Greta Lee

「この映画が伝える感情は、
私にもすごく分かったの」

性アーサーと結婚していた。アーサーはヘソンの存在を聞いていて、3人は、ある夜、ニューヨークのバーで顔を合わせる。

「あのバーにいた時に私が抱いた気持ちはとても主観的で、その時の複雑な気持ちからこの映画は始まったの。この2人の男性に対して私が持つ思い、歴史はそれぞれに違っている。私のアイデンティティは、そのどちらにもある。それを私は脚本という客観的なものにしていったのよ。そして嬉しいことに今、私の自伝的で、とてもパーソナルな作品は、観客にとってもパーソナルな作品になった。主観的から客観的になり、最後は観客にとっての主観的なものへと、ひとまわりしたの」（ソン）

　ノラ役に抜擢されたのは、ロサンゼルスに生まれた韓国系アメリカ人女優グレタ・リー。

「担当エージェントを通じて脚本が送られてきたの。メールの件名には、『韓国語を話せますか』とあった。韓国語で演技をしようと思ったことはなかったし、セリーヌのことも知らなかったから、いったいどんなプロジェクトなんだろうと思ったわ。でも、読み始めたら止まらなくなったのよ。休みなく、一気に読んだわ。読み終わって、こんな映画は観たことがないと思った。移民の家族に育ったとはいえ、私自身は、ノラ、つまりセリーヌのような経験はしていない。でも、この映画が伝える感情は、私にもすごく分かったの」（リー）

　リーに実際に会ってみると、ソンはすぐに彼女こそノラにふさわしい女優だと思った。

「グレタの中には燃え上がる炎を見たのよ。それは私がノラに求めていた資質。その後、私たちは2時間ほどミーティングをしたけれど、話していく中で、私は『やはりこの女優だ』と繰り返し確認をしていったわ。そのミーティングでは、グレタがこの役を取ろうと頑張っていたのではなく、私がこの女優が正しいのだと自分で確認していたの」（ソン）

　オンラインで行われたそのミーティングの中で、ソンはリーにセリフ読みもさせてみた。相手役を務めたのはソンだ。映画の中で、ノラは「縁」のコンセプトについて語るが、ソンとリーの間にもしっかりした縁があると2人は感

じている。

「セリーヌと一緒にセリフを読んでいながら、彼女がこの映画でとらえたいエッセンスが本当によく理解できたわ。この映画は、人と人とのコネクションを語るもの。この映画を作っている時、セリーヌは『私たちは前の人生で結婚していたはずよ』と言った。『私にはそれが分かる』と。ひとつ前の人生ではなく、ずっと前。30回前かもしれないし、50回前かもしれない。だけど、確実に私たちは結婚していたのだと」（リー）

　子供の頃に心を通わせ、大人になってからまたつながったヘソンとノラの間には、縁がある。脚本家向けのプログラムで出会い、結婚することになったアーサーとノラの間にもまた縁がある。さらに、ノラを挟んで3人で一緒の場所にいることになったヘソンとアーサーの間にも、縁がある。アーサーのモデルであるソンの夫は、その縁のせいで、映画の中でアーサーがするのと同じ、かなりぎこちない体験をすることになった。だが、彼はこの映画で描かれる自分を見て抵抗を感じなかったという。

「アーサーは、私が夫と一緒に作り上げたキャラクター。映画に出てくるキャラクターだから、現実の世界に生きる彼よりも、もっと細かく、しっかりとしたセリフで思いを語ったりする。私はアーサーのキャラクターについて夫によく話をしたわ。夫はこのキャラクターをとても誇りに思ってくれている」（ソン）

　映画のエンディングは、現実の世界で起きたことと同じ。その部分を変えようと思ったことは一度もないと、ソンは断言する。そこはポイントではないからだ。

「この映画は、このコネクションは人生の中でずっと存在し続けるのだということを語るもの。どちらのコネクションがより大事か、そうでないかという差はない。ひとりの人生の中にはいくつものコネクションが存在し、そのどれにもちゃんと意味がある。私は心の底からそう信じているのよ」（ソン）

『パスト ライブス／再会』
Past Lives
2023年アメリカ・韓国合作映画／監督＝セリーヌ・ソン／出演＝グレタ・リー、ユ・テオ、ジョン・マガロ／106分／配給＝ハピネットファントム・スタジオ／4月5日より全国にて公開　●深い絆で結ばれた幼なじみのノラとヘソンは、ノラの家族が韓国から移住し、離れ離れになる。20年後、運命的に1週間だけニューヨークで再会した2人は、運命、愛、そして人生を決める選択という概念に直面する。

『CLOSE／クロース』
ルーカス・ドン監督

文＝斉藤博昭

——前作の『Girl／ガール』と同様に、この『CLOSE／クロース』でも脚本の執筆からスタートしています。あなたにとって脚本を書くことは、映画作りに重要なプロセスのようですね。

ルーカス・ドン（以下D） 確かにそうです。書くという行為は、何か喜びが爆発する瞬間から始まるような気がします。僕にとって脚本の執筆はジェットコースターに乗っている感覚。言いたいことを正確に言葉で紡ぎつつ、もし言葉だけで表現しきれなければ、映像に委ねることができる。それが映画作りの喜びでしょう。この『CLOSE／クロース』は、自分がどうなりたいのかも理解できなかった僕自身の少年時代、その苦い経験を基にしており、ずっと心の中にモヤモヤと漂っていたことを、ようやく脚本へと結実した感触なのです。

——自身の経験を、映画を観る多くの人に共感させる作業ということですね。

D はい。脚本の執筆段階で最も気を遣ったのは、僕自身からは距離を置いて、多くの人の感情と結びつけること。それは非常に難しい作業でもあります。僕らは誰しもが若い時代に、過剰な責任を背負ったり、友人に裏切られ、そのために傷ついた経験があると思います。それを異なる世代でも分かち合えるように作品にしたのが『CLOSE／クロース』です。こうして自分の過去を物語化する作業は脚本家にとってハードでしょう。でも僕は、どこか解放された気分にもなりました。

——冒頭から主人公2人の少年の友情が鮮明に伝わってきます。あのシーンから始めた理由を聞かせてください。

D 最初に湧き上がった感情は、少年時代には何かを不注意に破壊してしまう、というものでした。その感情を起点にして思い浮かんだのが、暗闇に佇む2人の少年の姿です。そこに戦争での塹壕のイメージを重ねました。つねに危険と隣り合わせで、ある種の〝男らしさ〟も問われるのが戦地であり、2人の少年がそんな暗闇から花畑へとび出すことに、美しい色に溢れた世界への解放感を託してみたのです。残酷なものと、壊れやすいものの対比が、本作のドラマツルギーだと言えます。

――確かに中盤から後半に向けたシリアスな展開を考えると、前半はとことん優しいムードに包まれた印象です。

D 前半では少年時代のピュアな感情を、そして後半ではその純真さや親密さの喪失について語っています。全体として大きく変化する物語の構造は、各シーンにも反映され、たとえば2人の少年が全力で走るダイナミックなテンポや、ベッドに横たわる静かな時間の過ごし方を、僕はダンスの振付師のように、あらかじめイメージしたとおり正確に演出して対比させました。それぞれの〝動き〟を形成し、その流れを映画らしく変換していったのです。

――あなたのイメージを具現化するうえで、2人の少年のキャスティングは重要だったはずです。レオ役のエデン・ダンブリンとレミ役のグスタフ・ドゥ・ワエルは、どのような決め手で選んだのですか？

ルーカス・ドン監督
Lukas Dhont

「社会は関係性を無意識に
〝レッテル貼り〟してしまう。
それに対する提言こそ、
本作の目的で、テーマなのです」

D 友人であるキャスティング・ディレクターが、候補者の子供たちを集めてくれ、オーディションの形で演技をしてもらいました。その際にアンケートも行ったところ、「世界で一番好きな人は？」という質問にグスタフは「エデン」、エデンは「グスタフ」と記入したのです。それが真意でないのは明らかで、彼らは自分たちが選ばれたくて、そう書いたのですが、大人の心を操ろうとする2人の〝したたかさ〟に僕は感心したのです。彼らなら、大人のわれわれには理解できない感情も表現してくれるのではないか。それこそが本作に必要なのだと、任せることにしました。

――エデンとグスタフは、これが映画初出演です。あなたは彼らとともに、どのように役を作り上げたのですか？

D 若い俳優に対しては、キャラクターを形成するうえでの大枠と、彼らが創造性をフルに発揮できる自由、その両方を与えることが重要です。ストーリーの流れを知ってもらううえで、脚本の読み合わせは行いますが、それは1回だけ。何度も読んでしまうと、脚本をコピーしたような演技で、監督の操り人形になってしまうリスクがあるからです。これは若い俳優に限りませんが、俳優に自由を与えることは私の信念でもあり、やはり自由な表現によって優れた演技は生まれると信じています。そこを過小評価する監督も多いようですが……。そして自由に演じてもらううえでは、彼らと家族のような親密さを築くことが必須でしょう。

――親しくなった後で、役柄や演技についてどんなやりとりで演出するのでしょう？

D　まず僕は彼らに質問します。たとえば（レオ役の）エデンに「なぜレオは、そこで親友のレミを待たなかったの？」と尋ね、その心情を自分なりに考えてもらいます。そこで僕は絶対に答えを与えません。もちろん困ってしまった時は助け舟を出します。エデンは落ち込んだ時にトム・オデール（イギリスのミュージシャン）の曲を聴くそうですが、そんな情報も親しくならなければ入ってこなかったでしょう。レオの悲しみを表現するシーンで、僕はエデンに「オデールを聴く？」と提案したところ、彼は「聴きたい」と答えました。その結果、エデンは非常にエモーショナルな演技を見せてくれたのです。

――あなたが最初に言及したレオとレミが暗闇から花畑へと向かうシーンや、レオが窓辺に佇むラストなど、本作では光の美しさが印象的です。その光へのこだわり、撮影方法などを聞かせてください。

D　光の美しさは、『Girl／ガール』と同じ撮影監督、フランク・ヴァン・デン・エーデンの功績だと思います。彼は僕の脚本を〝詩〟へ変換させる技を持っているのです。登場人物たちを照らす光では、季節の変化、時間の経過を表現しつつ、基本的に自然であることにこだわりました。この物語は夏に始まって、秋や冬を経て、春へと時間が移っていきます。特に重要だったのが夏のシーンで、少年たちが外を走ったり、ベッドに横になったりする時間は温かい色彩を際立たせながら撮りました。やがて時が経ち、野原から花が消えるように、映画の後半では全体に暗めのムードとなり、光も登場人物たちに当たらなくなります。そして最後に、遠くから主人公に光が差し込むように演出しました。この映画における光は有機的でリアルでありながら、様式化された美しさも提供しており、そこにフランクの才能を実感できます。さらに撮影方法で、フランクと僕はひとつのルールを設けました。それは俳優が演じている空間では、カメラを不必要に動かさないということ。そうすることで若い俳優たちは、自分たちの生活空間で過ごしている感覚になり、伸び伸びと演技をすることができるのです。

――この作品はあなたの少年時代をモチーフにしながら、2人の少年の関係が、観る人によって友情とも、あるいは恋愛ともとれるようになっています。

D 『CLOSE／クロース』には2人の少年が抱き合っているシーンがあり、それを目にした僕たちは、この2人が同性愛の関係なのではないかと想像してしまいます。つまり、僕たち社会は、そのように関係性を無意識に〝レッテル貼り〟してしまう。それに対する提言こそ、本作の目的で、テーマなのです。人と人の親密な関係を、セクシュアリティというフィルターを通して判断していいのか。そのレッテル貼りを世界が放置した結果、特定の人たち、つまり子供たちが悲しい現実に直面していることを訴えたい……。それこそ僕が本作を送り出した理由のひとつです。

――そのような思い込みを避けて、本作を観てほしいということですか？

D 僕ら作り手はコントロールできること、できないことの両方を抱えています。自分では完全に理解し、それを映画で結実させたとしても、すべては観る側の判断に委ねられるからです。そこに僕は関与できません。それはたとえば自分の子供を世界に放ち、その子が何をしようがコントロールできない感覚でしょう。映画には、観る人それぞれの人生経験が重ねられます。ある人がその映画を観て、強く心を動かされても、別の人が真逆の反応になるケースは多々見受けられます。でも、それこそが映画の存在意義であると信じています。

――映画監督として『タイタニック』のような大作を手がける夢も持っていたそうですね。

D それはずいぶん若い頃の話で（笑）、現実から逃避し、壮大なフィクションの世界に埋もれたい願望を抱いた時期のことです。自分が消えてしまいたい感情から、人生にはまったく関係のない『タイタニック』のような映画に憧れたのでしょう。そこから僕は自分の殻を破るために、周囲の人を観察し、行動を研究するようになり、その経験が映画監督としての糧になった気がします。自分を消し去りたい思いが、他者とつながる行為に変わり、監督として取り組みたい題材に囲まれている。それが今の僕の状況です。

『CLOSE／クロース』
Close

2022年ベルギー・フランス・オランダ合作映画／監督＝ルーカス・ドン／出演＝エデン・ダンブリン、グスタフ・ドゥ・ワエル、エミリー・ドゥケンヌ、レア・ドリュッケール、イゴール・ファン・デッセル／104分／Blu-ray＋DVD発売中／発売元＝クロックワークス、販売元＝ハピネット・メディアマーケティング ●花き農家の息子のレオと幼馴染のレミ。昼は花畑や田園を走り回り、夜は寄り添って寝そべる。24時間365日ともに時間を過ごしてきた2人は親友以上で兄弟のような関係だった。

『ザ・ホエール』ブレンダン・フレイザー

文＝猿渡由紀

『ザ・ホエール』の出演の話がやってきた時、ブレンダン・フレイザーに与えられた情報は、ごくわずかだった。

「ダーレン・アロノフスキーのキャスティング・ディレクターが教えてくれたのは、主人公は長いこと孤独に生きてきた男だということ。彼は後悔の念を抱えているが、残された時間は限られているということだけ。後にダーレンは、この役に正しい俳優を10年近くも探し続けてきたと教えてくれた。最初にミーティングを持った時もまだ、この映画を実現できるかどうか分からないと言っていたよ。チャーリーの体を作らなければいけないからと」

フレイザーが演じるチャーリーは、極度の肥満体。昔は普通体型だったのだが、大きな悲劇を経験し、食べることで辛さを癒すようになってしまった。見た目にコンプレックスを持つ彼は、大学の講義もカメラをオフにしてオンラインで教え、ピザの配達が来ても絶対に顔を合わさずに受け取るようにする。この特殊メイクをデザインしたのは、『M3GAN／ミーガン』も手がけたエイドリアン・モロー。「パンデミックのまっただ中だったので、プロデューサーのひとりが僕の家に来てくれて、駐車場で僕の体をスキャンしたんだ。それをモントリオールにいるエイドリアンに

ブレンダン・フレイザー
Brendan Fraser

「リハーサルを3週間も、
A24はやらせてくれたんだよ。
素晴らしいことだ」

送り、彼はそれをもとにチャーリーの体を作り上げてくれたのさ。目の周りのシワ、皮膚の感触、すべてがリアルだった。とてもアナログな大変身だ。服の一部を修正するなどを除き、この映画にCGはほとんど使われていない。ダーレンは、チャーリーのメイク、体は、物理の法則、重力にきちんと従っていなければならないと決めていた。だけど、この特殊メイクのデザインをしている時ですら、僕はまだ脚本を読ませてもらっていなかったんだ」

このメイクを施すのには、毎日4時間かかった。1日の終わりにメイクを取るのにも1時間かかる。重いメイクをつけて撮影をするのも楽ではなかったが、その意味は十分にあった。

「実際にチャーリーの体になることで、すべてが変わる。メイクは45キロ近くもあり、すごくかさばるから、動きに関して演技は不要だったね。とは言っても、肥満の人の動き方などについて、事前にリサーチもしているよ。あの体になってみて、いろいろなことを考えた。僕はその日の終わりにメイクを取ることができるが、その人たちにはそれができないんだ。肥満の人たちのための手術はあるけれども、一定の体重を減らせられると証明しなければ保険会社が認めてくれなかったりする。その手術をやれば命が救われるかもしれないのに。ダーレンと僕は、肥満の人たちとその家族のための擁護団体と密に連絡を取りつつ撮影準備を進めた。子供の頃は、そしてその後の人生はどうだったのかなどということについて、彼らは正直に語ってくれたよ」

撮影前にはしっかりリハーサル期間が用意され、そこでいろ

いろと試しながら、みんなでキャラクターを見つけていった。それはまるで舞台劇の練習のようだったとも、フレイザーは振り返る。

「この映画のリハーサルは、3週間もあったんだよ。今どき、（お金がかかるから）映画会社はそんなことを許してくれない。でもA24はやらせてくれたんだよ。素晴らしいことだ。おかげで僕たちは自分たちの仕事を学ぶためにしっかりと時間をかけることができた。これはもともと舞台劇だったし、すべてがアパートの中で起こるので、そこもまたお芝居のようだったね。そしてこの作品には、素晴らしい才能を持つ人々がたくさん集まってくれた。パンデミックの最中だったこともあって、もう明日はないのかもしれない、最高のものを作らなくては、というようなことをみんなが感じていたんだよね。この体験は、お金では買えるものではない」

『ハムナプトラ』シリーズ『センター・オブ・ジ・アース』などのアクション映画、『ジャングル・ジョージ』『ルーニー・テューンズ：バック・イン・アクション』などファミリー向けコメディに主演し、人気を得たフレイザーだが、近年は少し存在感が薄れていた。

「#MeToo」が起こるずっと前にハリウッド外国人記者協会の元プレジデントにセクハラを受け、勇気を持って声を上げたのに揉み消されて鬱になったこと、さらに離婚もあって、しばらく暗い状態が続いたのだ。それだけに、『ザ・ホエール』が世界プレミア上映されたベネチア国際映画祭で大絶賛を受けた時の感動はひとしおのようだった。オスカーという最大の栄誉を与えられる直前、記者会見で今の感想を聞かれたフレイザーは、このように答えている。

「僕は今、これまでのキャリアで体験していないことを経験させてもらっている。観客にこんなに温かく受け入れられるなんて、すごくエキサイティングだ。まだ時々、頬をつねるよ。とても良い気分だ」

　その素晴らしいジャーニーは、オスカー受賞という最高の形で幕を閉じた。次のチャプターでもまた優れた作品で優れた演技を見せてくれることを期待したい。

ダーレン・アロノフスキー監督

文＝猿渡由紀

ダーレン・アロノフスキー監督
Darren Aronofsky

「この映画は思いやりを持とうという
メッセージを伝えるために作りたかった」

ダーレン・アロノフスキー監督が舞台劇「ザ・ホエール」に出会ったのは、２０１２年秋のこと。サミュエル・Ｄ・ハンターが書いたその劇を見るためにニューヨークのシアターに足を運んだ時、体重２７０キロの主人公チャーリーに強く思い入れすることになるなどと、まるで予想していなかった。

「チャーリーが最初に舞台に登場した時、僕はまるで彼に自分を重ねなかった。だが、５分後にはすっかり引き込まれ、最後には悲しみに打ちひしがれることになったのさ。それが芸術のパワーなんだよ。僕はよく外国の映画を観る。そこに出てくる人たちは、表面的には僕と全然違う。だが、２時間の間に、僕は行ったことのない場所に住むその人たちにつながりを感じるようになるんだ。今の時代、それは

なおさら大切だと思う。パンデミックのせいで、僕たちは孤立を強いられた。人とのつながりが薄れてしまった。でも、この地上に住む僕たちはみんな家族なんだよ。チャーリーを理解し、チャーリーを思いやり、彼の夢と希望を応援することで、僕たちはより良い人間になれると信じる」

舞台劇を見たのは2012年で、映画が公開されたのは2022年。しかし、映画の舞台はあえて2016年に設定されている。それにはもちろん理由がある。

「この映画が本格的に動き出したのは、パンデミックが始まってから。でも、まだワクチンがなく、この後世の中がどうなるのか、誰にも想像ができなかった頃だ。チャーリーの健康状態を考えると、もし現代を舞台にするなら、彼の周りにいる人たちは絶対に全員マスクをつけていなければいけないよね。それは嫌だったんだ。いや、現場でクルーは全員マスクをつけていたよ。でも映画の中ではそうしたくなかったということ。とにかく、その理由で、時代設定をちょっと前にしようと思った。2016年、しかもスーパーチューズデー（アメリカ合衆国大統領選挙の予備選挙・党員集会が集中する第2火曜日）を選んだのは、アメリカが分岐点にあった年だから。とは言っても、これは政治的メッセージを持つ映画では断じてない。そうならないよう、十分配慮したつもり。これは、すべての人のための映画なんだから」

製作で一番苦労したのは、チャーリーを演じる俳優を見つけること。その過程には長い時間がかかった。

「この役のためには、いろいろな俳優を考えた。有名な人、無名な人、肥満の人。アメリカに限らず、世界から探したよ。だが、その誰にもピンと来なかったんだ。有名な人を起用する上で気になったのは、この役には特殊メイクが必要とされること。どこまでがメイクなのかと観客が考えると、話から気が散ってしまう。ブレンダン・フレイザーは、人から愛されてきたが、ここのところそんなに姿を見なかった。彼の名前が浮上した時、彼は本当の実力を見せる機会に恵まれてこなかったのではないかとも思った。そんな俳優にそのチャンスをあげるのは、監督としてエキサイティングなことだ。

そういう状況にある俳優は、全力を注ぐと分かっているしね」

多様性へのプレッシャーが大きいアメリカでは、一部の人から肥満の俳優を起用しなかったことについての批判も出た。だが、アロノフスキーは反論する。

「その方向性については僕も最初考えた。だが、200キロある人を主演に据えるのは、事実上非常に難しいんだよ。それだけの体重がある人は、普通に日常を生きるだけでも大変な思いをしている。映画の現場は1日8時間以上だ。プレッシャーも大きい。それを毎日こなせというのは、現実的ではないよ。保険の問題もある。僕は、この映画を思いやりを持とうというメッセージを伝えるために作りたかった。主演俳優を実際にそういう体型である人にこだわったせいで製作が実現しなかったのだとしたら、そのメッセージを伝えることすらできなくなる」

そのメッセージを正しく伝えるために、アロノフスキーは、肥満の人とその家族のための団体Obesity Action Coalition(OAC)と密に連絡を取りつつ製作を進めた。

「脚本執筆中の段階でも、彼らに観てもらって意見を聞いたよ。パンデミックだったから直接会うことはかなわず、オンラインでの対談だったが。撮影した映像も、早いうちに見せた。これまで太った人たちは、笑いのネタにされるか、モンスターのような形でしか映画に出てこなかったよね。彼らも僕らと同じ人間なのに、多くの人はそういう体型の人を見た時、自分とは違う存在と受け止めるんだ。医療関係者だってそうなんだよ。医療現場でそれらの人たちが差別を受けているというデータはきちんと存在する」

そんな思いを込めて作ったこの映画は、OACから大きな感謝を持って受け入れられた。アロノフスキーは、そのことに大きな満足を感じている。

「サミュエル・D・ハンターは、個人的な経験をもとに、感動的で繊細な脚本を書いてくれた。さらにOACのアドバイスをいただきつつ、僕はこの映画を作った。見た目がどうあれ、人は敬意を持った扱いを受ける権利がある。人間としての美しさに変わりはないのだからね」

『ザ・ホエール』
The Whale
2022年アメリカ映画/監督=ダーレン・アロノフスキー/出演=ブレンダン・フレイザー、セイディー・シンク、ホン・チャウ、タイ・シンプキンス、サマンサ・モートン/117分/発売元=キノフィルムズ/木下グループ/Blu-ray 5,280円(税込)、DVD 4,290円(税込) ●恋人アランを亡くしたショックから、現実逃避するように過食を繰り返してきたチャーリーは、大学のオンライン講座で生計を立てている40代の教師。歩行器なしでは移動もままならないチャーリーは頑なに入院を拒み、アランの妹で唯一の親友でもある看護師リズに頼っている。そんなある日、病状の悪化で自らの余命が幾ばくもないことを悟ったチャーリーは、離婚して以来長らく音信不通だった17歳の娘エリーとの関係を修復しようと決意する。

『その道の向こうに』ジェニファー・ローレンス ブライアン・タイリー・ヘンリー ライラ・ノイゲバウアー監督

文＝猿渡由紀

――この映画に出演したいと思った理由は何ですか？

ジェニファー・ローレンス（以下L） 理由はたくさんあったわ。ひとつは、ゆっくりしたリズムとメロディを持つ作品であること。そういう映画にあまり出てきていないから。それに、私自身に軍隊経験はないけれども、体を動かすことで不安や抑圧から逃げ出そうとするこのキャラクターには共感できた。私もひとつの映画の現場から別の映画の現場へと移動し続けてきたしね。彼女はそこに戻りたいの。アフガニスタンで大怪我をしても、そこは彼女が自分の家と感じるところなのよ。

ブライアン・タイリー・ヘンリー（以下H） 脚本がとにかく素晴らしかったし、監督はライラ、主演はジェニファーだというんだからね。もちろんイエスと言うよ。僕はずっとジェニファーを役者としてすごいと思ってきた。大作に出た後に、彼女がまたこんな小粒な映画に戻りたいと思ったことを、嬉しくも感じた。そこに自分が関われるなんて、とても素敵だと。ライラとは、前からの知り合い。僕らは舞台劇を深く愛してきた。そしてこの脚本も、舞台劇みたいだったんだ。大きいことが起こる話ではなく、２人のキ

ジェニファー・ローレンス
Jennifer Lawrence

「私たちは、
リンジーとジェームズの
友情を追いかけたいと思った」

ブライアン・タイリー・ヘンリー
Brian Tyree Henry

「僕とジェニファーは一緒に
たっぷりと時間を過ごし、
たくさんの会話をした」

ャラクターが心をつなげようとする様子を追っていくもの。とてもシンプル。そこにも強く惹かれた。リンジーの人生には、いろいろな人々がやってくる。それは彼女にとってどんなことなのだろう？　そして、その映画はどんなものになるのだろう？　僕はそこに飛び込んでみたいと思ったんだ。

――ライラ、舞台劇の演出と長編映画の監督は、どこが違って、どこが同じなのでしょうか？

ライラ・ノイゲバウアー（以下N） 映画と舞台劇は、作る過程がとても違っている。だけど、突き詰めると、どちらも役者さんたちとの話し合いに落ち着く。私は主に新作劇を手がけてきて、脚本の段階からたずさわってきた経験があるので、その意味ではこの映画もそこからの自然な延長のように感じられたわ。

ライラ・ノイゲバウアー監督
Lila Neugebauer

「監督は、いろいろな意味で架け橋の役割も果たす」

――リンジーとジェームズはどちらも辛いことを経験した複雑なキャラクター。ストーリーが展開していく中で、2人は心をつなげていきます。彼らの関係について、どのような話し合いをしたのですか？

H 僕とジェニファーは一緒にたっぷりと時間を過ごし、たくさんの会話をした。真夏の、猛暑のニューオリンズでね。そうやってキャラクターの関係を築いていったんだ。ジェニファーのようなレベルの映画スターになると、ほかの人たちと離れていることを望む人もいる。実際、彼らは忙しいしね。だけど彼女はそんな人ではなかったんだ。彼女は僕らみんなと一緒にいようとする。それはありがたかったよ。ジェームズとリンジーは普通なら友達にならないような2人。現実の世界でも、僕らにはそれが起こったのさ。役者は、自分の弱いところを完全にさらけ出さなければならないことがある。ジェニファーは、この映画でさらけ出すことを要求した。自分もそうするし、相手役にもそうして欲しいと。そうしても大丈夫なんだと相手役に感じさせてくれる。そうした関係からすごく豊かなものが生まれたと僕は思う。ライラも、リーダーとして僕らをそこに導いてくれた。僕は多くの監督と仕事をしてきたが、ライラとの仕事はこれまでと全然違っていたよ。「ライラのグループ」と誇らしげにうたうTシャツを作りたいくらいさ(笑)。僕らは現場で実際にコネクションを作り、観客にそれを感じてもらいたかった。今まで知らなかった人と心をつなげることは可能なのだと感じながら映画館を出てもらいたい。そこから、ある種の優しさが生まれる。

L　ライラとブライアンは長年の知り合い。そしてライラは、ブライアンと私は友達になれると感じてくれた。私たちの間には良い相性があるだろうと思ってくれた。実際、私もブライアンに会うとすぐそう感じたわ。ブライアンはとても素敵な人。彼が私の人生に入ってきてくれて、とても嬉しい。そんな気持ちがスクリーンに伝わらないはずはないのよ。作る過程で、私たちは、もっとそのテーマを持つ映画にしていこうと思うようになった。パンデミックで製作がしばらく中断したことも関係しているわ。ようやく撮影現場に戻って来られた時、私たちはみんな世の中が経験したトラウマ、ほかの人たちと会えない孤独を味わっていた。人とのコネクションの重要さを、それまでになく理解していたの。役作りのためには、軍隊経験者の話もたくさん聞いたわ。それらの人たちを正確に描くことは、私たちにとって大事だった。彼らを不快にするようなことはしたくなかったしね。この映画が公開されてからというもの、軍隊経験者にかぎらず、車の事故やほかの理由で大きな怪我をした人たちからポジティブな反応が寄せられているの。それは嬉しいことだわ。

——パンデミックで撮影が中断し、また戻っていったことについて、もう少し語っていただけますか？　それはストーリーや作品にどんな影響を与えたのでしょうか？

L　これがインディーズ映画だったことはありがたかった。スタジオからああしろこうしろと言われることなく、私たちは自分たちの直感と、ストーリーが何を求めているのかを探りながら、じっくりと作っていくことができたの。パンデミックのせいで長いブレイクがあり、また現場に戻ってきた時、私たちが映画に対して持つ視点は前と少し違っていた。エンディングも、いろいろと変わったのよ。リンジーがアフガニスタンに戻るというエンディングもあったの。ほかにもいくつかのバージョンがあったけれど、パンデミックのブレイクから戻ってくると、私たちは、リンジーとジェームズの友情を追いかけたいと

思った。この2人に癒しの最初のステップを与えてあげたいと。撮影が中断されることがなかったとしたら、この映画がどんなものになっていたのか、想像できないわ。あれは辛い出来事だったけれど、私たちはそこから特別なものを得ることができたのよ。

H　僕らは生存者として現場に戻ってきた。パンデミックを経験した人は、みんな生存者だ。何かを乗り越えた人たち。生存者たちは、生存者の罪悪感を覚える。物事をこれまでと違う目で見る。ジェームズとリンジーも生存者。僕らは、「普通」とは何なのかを考えた。2020年の「普通」とは。2021年の「普通」とは。僕たちは、そういうことを映画に持ち込もうとしたんだ。世の中が僕たちにそれを問いかけてきたから。ライラも、僕たちにそれを問いかけてきた。

——ライラへの質問です。非常に感情的なシーンが多い撮影で、役者さんたちが健全な状態で仕事を続けられるように、どんな心配りをしたのでしょうか?

N　監督、演出家の仕事は、作品に関わる人々から最高のクリエイティビティを引き出すことにあると思う。それは特権でもあり、責任でもある。それに、監督、演出家は、いろいろな意味で架け橋の役割も果たす。それをするために、私はオープンで、透明性のある現場にしようとするわ。だからと言って、すべての人についてすべてを知る必要はないけれどね。そして、さっきブライアンも言ったことに重なるけれど、気取りのない現場であることも大事。そのために私がするべきことは、役者さんたちにたくさんの質問をすることだと思っている。彼らの言うことに耳を傾けて、どうすることで彼らの好奇心を刺激し、お互いに本当の意味で興味を持つようにさせて、クリエイティビティを発揮してもらえるようにするのかを探索するのよ。

——ジェニファー、母になったことで仕事の選び方は変わりましたか?

L　ええ、断然、変わったわね。作品を選ぶ上では、いつ仕事をするのか、撮影場所はどこなのかという、物理的な部分が大事になってきた。でも、どこを取ってもすべてが変わったわよ。

Apple TV+『その道の向こうに』

Causeway

2022年アメリカ映画／監督＝ライラ・ノイゲバウアー／出演＝ジェニファー・ローレンス、ブライアン・タイリー・ヘンリー、リンダ・エモンド／94分／Apple TV+にて配信中　●リンジーは、故郷のニューオーリンズで周りの環境に適応しようともがく外傷を負った帰還兵。彼女は地元の自動車整備士ジェームズと出会い、2人は思いがけない絆を築き始める。

画像提供＝Apple TV+

『エブリシング・エブリウェア・オール・アット・ワンス』ジェイミー・リー・カーティスキー・ホイ・クアン

文＝猿渡由紀

この会見は、2022年11月、『エブリシング・エブリウェア・オール・アット・ワンス』がゴッサム・インディペンデント映画賞で長編作品賞、助演男優賞を受賞した翌日に行われたものです。

――ゴッサム・インディペンデント映画賞受賞、おめでとうございます。この映画の世界プレミアは3月のサウスバイ・サウスウエスト（テキサス州オースティンで開催される「映画」「音楽」の複合イベント）でしたが、ここまでのジャーニーはどうでしたか？

ジェイミー・リー・カーティス（以下C） このジャーニーの始まりは、2020年1月、カリフォルニア州（ロサンゼルス郊外の）シミ・バレーなのよ。私たちは、撮影開始に向けて、幸運を願う伝統的な儀式をしたの。それが始まりだった。それに、撮影中、監督コンビは、毎週、最も努力をしてくれた人にサプライズで賞をあげたりしていた。この映画を作るためにはみんなの力が必要だと、彼らは分かっていたから。つまり賞はこの映画にずっとつきまとってきたというわけなの。そこはみんなご存知ないでしょうけれど。

――ジェイミー、あなたは、この会見が始まる前、キー・ホイ・クアンに個人的に優しい言葉をかけられていましたね。今、ここでそれをまた言っていただけますか？

C 彼が昨夜、（助演男優）賞を受賞したことについて話していたのよ。これはまさに業界の現実を知りつつ、自分自身を粘り強く信じ続

けた結果だと。彼には業界を離れた時期があった。業界が彼に仕事をくれなかったから、彼は自分のために別の仕事を作らなければならなかったの。そこへある時、『クレイジー・リッチ！』を観て、妻に「僕にもまたこれができるかもしれない」と言ったのよ。そして彼はオーディションを受けて、自分の力で、この素晴らしい役を手にしたの。昨夜の彼の受賞は夢を持ち、それを失い、またそれを見つけたすべての人たちに対して、「それは可能なのだ」というメッセージを送る。それはとても美しいと私は思う。

キー・ホイ・クアン
Ke Huy Quan

「アジア系の俳優が出るために理由づけが必要でなくなる日がいつか来ることを願っている」

キー・ホイ・クアン（以下Q） ジェイミー、優しい言葉をどうもありがとう。この映画が公開されてからというもの、僕はインタビューを受けるたびに涙で声を詰まらせてきた。今もまたジェイミーがあんなことを言ってくれたから、また泣きそうだよ。長いこと僕の妻はずっとそれを我慢してきてくれたが、ついに先月、「キー、もう取材で泣かないようにして」と言ってきて、僕は「分かった」と答えたんだ。そんなことを経て、昨夜、僕はあの会場に座っていた。自分が受賞することなんてないだろうと思いながらね。だって、隣にはガブリエル・ユニオンが座っていたし。『インスペクション　ここで生きる』の彼女の演技は本当に素晴らしかった。ほかの候補者たちもみんな良かったし。だが、（プレゼンターの）アメリア・ジョーンズが受賞者の名前を読み上げた時、それはなんと僕の名前だったんだよ。横を見ると、妻は大泣きしていた。それを見て僕も泣いた。舞台に上がった時は、もう涙でボロボロだったよ。本当に嬉しかった。僕の家族には感謝をしてやまない。ジェイミーと監督たちにもね。今、ここにいさせてもらえることを、心からありがたく思う。

――ジェイミーもキーも、同じキャラクターの違うバージョンを演じますが、それは楽しかったですか？　最も驚きのあったバージョンはどれでしたか？

Q すごく楽しかったよ。こういう役をもらえたなんて、信じられなかった。演技の神は僕のことを見守ってくれていたのだとも思った。「君は20年も演技をしてこなかったから、この3つの素晴らしい役をやらせてあげよう」と、これをくれたのかと。この役は自分のために書かれたようだとも、僕は思った。だからこそ、最高の形で演じたかったんだ。僕は伝統的な中国系の家庭で育っている。子供の頃、親からいつも、感情を表に出すなと言われた。だから、僕は何年も自分の感情を押し隠してきた。この役を得てようやく、僕は自分自身に、それらの感情を解き放して、この3つのバージョンのキャラクターのために使おうと決めたんだ。ウェイモンドはとても素敵なキャラクター。僕は彼のような人になりたい。僕の妻は彼のような人だ。ジェイミー・リー・カーティスも。僕が演じたウェイモンドは優しい人で、リスペクトを持って他人に接する。10年前の僕にこの役は演じられなかっただろう。それに、妻に出会っていなければこの役を演じられなかったとも思う。妻は僕を変えてくれた。妻のおかげで僕はずっと良い人間になれた。だから、この話をする時、僕はいつも泣いてしまうんだよ。

C 私は俳優の一家に生まれた。でも、奇妙なことに私も感情を押し隠しながら育ったの。私の家族は保守的で、感じていることを自由に話すような雰囲気ではなかったのよね。だから、私には演じたディアドラ・ボーベアドラが分かった。彼女は悲しいのだと、私には分かるの。彼女には夢があったのだと。それに、彼女のような人は、権力を使って何ができるかを知っている。彼女のような職業では、しばしばそれが行われる。監督コンビが書いたそんな彼女のいくつもの側面を探索するのは、とても楽しかったわ。もうひとつ言っておきたいことがあるの。監督たちが語るたびに、玉ねぎがむけるように、この映画の内側が見えてきたのよ。でも、撮影している時、この映画のテーマについて話し合ったというわけではないの。少なくとも私は、人生経験だとかそういった大きなテーマについて監督たちと語り合うことなく、このクレイジーな映画を速いペースでひたすら作ったわ。これは複雑で奥がある映画だけれど、実際のところ、私たちはすごく深く考えたりするわけでもなく、38日で撮影したの。編集のポール・ロジャーズが、それをとても美しくまとめてくれたのよ。

――ジェイミーのキャスティングは、撮影開始がかなり迫った段階で決まったのですよね。

C 私はとても長いこと演技をやってきている。自分が演

じるキャラクターを理解するのが、私の仕事。私の責任はそれだけで、映画が何を語ろうとしているのかは関係ない。私がやるべきことは、観客が私をディアドラ・ボーベアドラだと思ってくれるようにすること。それができたら、私は任務を達成したということよ。結果的に、この映画がすべてのレベルにおいて人々に伝わったことを嬉しく思う。この映画の撮影はとても楽しかったし。

Q もうひとつ付け加えていいかな。僕たちには38日しかなかったにもかかわらず、監督たちは毎朝、キャストとクルー全員を集めて、30分ほど、ダンスやらストレッチやら、ウォーミングアップのエクササイズをやったんだ。それが終わったらカメラを回し始め、その日に撮るべきものを撮り終えるまでやり続ける。今、振り返ってみると、もし僕らがそのうちの何かに疑問を持つことをしたならば、この映画はできなかったのではないかと思うね。僕らは時間通りに現れて、リーダーである監督が望むことをなんでもやったんだ。ジェイミーも、ミシェル（・ヨー）も、ステファニー（・スー）も、ジェームズ（・ホン）も。僕らがやるように言われたことのいくつかはすごくクレイジーだったが、それでも僕らは喜んでやったんだ。僕らは監督たちを信頼していた。その結果、素晴らしい映画ができた。

——今日のヒット作の多くはアクション映画やコミックの映画化です。今作はオリジナルで、ほかとまるで違っていますが、なぜ人々に共感してもらえたのだと思いますか？

C ミシェルと私がホットドッグ・ユニバースにいるシーンがあるわよね。あれは関係が破局するシーンよ。誰かに対して心を開いたのにまた閉ざさなければいけなくなるのは、何よりも辛いこと。あのシーンを撮影するのは、私たち2人にとって辛かった。私たちの手はホットドッグで、すごくばかげていてもね。スーツケースを手で持てないから、足で動かすのよ。でも、あれは愛を喪失することについてなの。それは心が張り裂けること。監督たちは、それをとても素敵な形で描写したの。

――そんな奥深さのある脚本を、読んですぐに理解できたのでしょうか？

Q　脚本を送ってもらったのはオーディションに行く前だったんだが、なぜか僕はすぐに理解できたんだよ。読んでよく分からなかったという脚本はよくあるのに、これは1回で分かったんだ。朝5時に脚本を読みながら笑ったり泣いたりしていると、妻が部屋に入ってきた。そして僕は妻に「この役は僕のために書かれたような役だ」と言った。その後、妻はまたベッドに戻り、僕はカウチに座り、窓の外に朝日が上るのを見ながら、僕はこの役をどう演じたいか、そしてこの脚本は何を語るのかについて考えた。僕は延々とそんなことに頭を巡らせたよ。ようやく眠りにつく前、僕は自分に「だけど、僕がこの役をもらえることはないだろう」と言い聞かせた。だが、オーディションの2ヵ月後、僕に電話がかかってきたんだ。

C　この質問をするべき相手は、ミシェル・ヨーよ。彼女の脚本の写真を持っている人が誰かいるといいんだけれど。ミシェルは脚本に25個の違う色の付箋をつけていたの。彼女はとても複雑なことをこなさなければいけなかったから。すばやいスピードで違うバージョンに切り替えなければならなかった。すごく感心したわ。今日、ここにミシェルがいなくて本当に残念。彼女こそ、この映画よ。

初期の頃、私たちはオンラインでインタビューを受けていて、ある記者がエヴリンはどんな女性かと聞いてきたことがある。するとミシェルは、「エヴリンは、街を歩いていても誰にも気づかれない女性」と言った。それを聞いて私は、悲しく感じたけれども納得したわ。道を歩いていて、とくに何も思わない、大勢の人のひとり。この映画はその人たちについてなのよ。一生懸命頑張っている、名のない人たち。そんな彼らにも夢はあるの。

ジェイミー・リー・カーティス
Jamie Lee Curtis

「この映画のレガシーは、愛だと思うわ」

——この映画が成功したおかげで、今後ハリウッドにおけるアジア系の存在は強まると思いますか？

Q　それについてはもう何度も話したので、ここでは短めに答えることにしよう。長いこと、ハリウッドはアジア系のためのキャラクターを書いてこなかった。書いたとしてもステレオタイプで、名前もないような役ばかりだった。だが、今はかなり変わった。だからこそ僕は今日、ここにいられるんだよ。だから僕はまた役者になりたいと思ったんだ。『フェアウェル』、『クレイジー・リッチ！』、そして今この映画がある。これからについて、僕は希望を持っているよ。だが、こんな話題が出るということは、まだそこに到達していないということ。アジア系の俳優が出るために理由づけが必要でなくなる日がいつか来ることを僕は願っている。アジア系俳優がいろいろ違った役を演じられる日が来ることを。それが普通になることをね。

——この映画はこれからもずっと人々に愛され続けるでしょう。ですが、この映画はどんな形で人々の記憶に残っていくと思いますか？

C　この映画のレガシーは、愛だと思うわ。愛、和解、正直であること。そして、家族、失敗、成功。私たちが日常の生活の中で直面するそれらのこと。監督たちは、愛を中心に回る映画を見事に作ってみせたの。私はその映画に心から満足している。

Q　この映画が公開されてから、すごくたくさんの人が「この映画のおかげで人生が変わった」と言ってきてくれた。この映画を観て、多くの人はもっと良い人になりたいと思ってくれたんだ。この物語は、愛、そして親切であろうということを語る。この映画を観た後、人が他人に対してもっと親切に振る舞ってくれたなら、とても嬉しい。ここ数年、世の中で起こったことを見れば、それは今なおさら大切なことだと分かるだろう。他人にリスペクトを持つこと。他人に親切にすること。それが伝わってくれるよう、僕は望んでいるよ。

エブリシング・エブリウェア・オール・アット・ワンス
Everything Everywhere All At Once
2022年アメリカ映画／脚本・監督・製作＝ダニエル・クワン&ダニエル・シャイナート／出演＝ミシェル・ヨー、ステファニー・スー、キー・ホイ・クァン、ジェイミー・リー・カーティス、ジェームズ・ホン、ハリー・シャム・Jr／140分／発売・販売＝ギャガ／発売中／DVD ￥4,029（税込）●経営するコインランドリーの税金問題、父親の介護に反抗期の娘、優しいだけで頼りにならない夫と、盛りだくさんのトラブルを抱えたエヴリン。そんな中、夫に乗り移った"別の宇宙の夫"から、「全宇宙にカオスをもたらす強大な悪を倒せるのは君だけだ」と世界の命運を託される。まさかと驚くエヴリンだが、悪の手先に襲われマルチバースにジャンプ！　カンフーの達人の"別の宇宙のエヴリン"の力を得て、今、闘いが幕を開ける。

ダニエル・クワン
ダニエル・シャイナート

文＝斉藤博昭

——2016年の『スイス・アーミー・マン』はA24が北米配給を手がけましたが、『エブリシング・エブリウェア・オール・アット・ワンス』は製作からA24が加わっています。その経緯を教えてください。

ダニエル・クワン（以下K） 『エブエブ』のアイディアを本気で映画にしようと思ったのが2016年で、いくつかの会社に売り込みました。その中のひとつが『スイス・アーミー・マン』で縁もあったA24だったのです。最初、彼らは僕らの企画に興奮したものの、僕らの希望する製作費を出すのは難しそうでした。でもその後、脚本を開発していった期間に、A24が何とか製作費を工面してくれていたんです。完璧なパートナーだと信じて製作から手を組むことにしました。

ダニエル・シャイナート（以下S） A24が本格的に関わったのが2018年。そこからプロダクション、およびキャ

ダニエル・クワン
Daniel Kwan

「A24が何とか製作費を
工面してくれていたんです」

ダニエル・シャイナート
Daniel Scheinert

「影響という点では
日本のアニメも挙げたいです」

スティングが本格的に動き始めました。

K　A24とは、興行成績に応じてボーナスが出る契約を交わしました。この手のインディペンデント作品では珍しいケースですが、おかげで劇場での大ヒットにより、僕らも恩恵にあずかりましたよ（笑）。

S　『エブエブ』は何ヵ月もかけてロングランを記録し、世界各国でもヒットしました。いろいろなタイミングでA24からお祝いをもらい、それが何ヵ月も続いた印象です。

――『エブエブ』では主人公のエヴリンが、他の宇宙（バース）へ移動する〝マルチバース〟の世界観になっています。このマルチバースは、マーベルの映画などですでに映画ファンにはおなじみの設定です。

K　僕らはかなり前からマルチバースの映画を模索していたのですが、2015年くらいに『スパイダーマン：スパイダーバース』（2019年公開）が作られるという情報を聞き、「まずい、先を越される」と焦りました。ただ僕らが描きたかったのは、バースの数がめちゃくちゃ多い世界観なので、誰もそんなリスクは冒さないだろうと余裕を持っていましたけど（笑）。

S　むしろマーベル作品がマルチバースを先に描いてくれたおかげで、僕らの親の世代にも浸透して、逆に助かった面もありますね。いきなり『エブエブ』でマルチバースが登場したら、たぶん多くの人はついて来られなかったでしょう。『エブエブ』ではメインのバースが4つか5つで、サブ的なものが10くらい。でも一瞬しか映らないバースを入れたら200近くになりますから。

K　僕らが目指したのは〝無限〟のバースなので、数で示すなら10億くらいのレベルですよ。

――現実から他のバースへのジャンプや、カンフーアクションを多用する点で『マトリックス』を連想する人もいると思います。何か影響を受けましたか？

K　姉の友人からもらった『マトリックス』のVHSテープを初めて観たとき、人生が変わりました。その後、何度も観直しましたが、クエンティン・タランティーノが所有するLAのニュー・ビバリー・シネマの90年代特集で『マトリックス』と『ファイト・クラブ』の2本立てを観て、「こんな風に哲学的テーマと楽しいアクションを融合した映画を撮れたら、監督業を引退してもいい」と感じたのです。その思いが『エブエブ』の原点を形成しました。

S　影響という点では日本のアニメも挙げたいです。宮崎駿や今 敏の作品はもちろん、『エブエブ』では湯浅政明の『マインド・ゲーム』に背中を押されました。初めて観たとき、

「こんなことやっていいんだ」と感動し、映画のルールを取っ払う挑戦を実写で試したくなったのです。

――さまざまなバースが描かれますが、撮影しながら最も印象に残ったものはどれでしょう？

S　アライグマが活躍するバースですね。アライグマはアニマトロニクス（リモコンで遠隔操作するロボット）なので、エヴリン役のミシェル（・ヨー）ら人間たちと動きを組み合わせるのが楽したったです。一方で忘れられないのが、岩を描いたバースで。恐ろしく暑いロケ地で、コロナ感染対策で全員がマスク着用しながらの撮影は地獄のようでした。

K　アライグマのパートはスタッフ全員、あまりに楽しんだので、いつかあそこだけで続編を作りたいくらいです。岩の撮影地はLAの中心部から車で3～4時間の砂漠地帯。気温は摂氏45度で、たしかに思い出すのもイヤです（笑）。

――バースからバースへのジャンプで、2人の監督としての個性が発揮されます。

S　他のバースに移る際の〝バカバカしい〟行動には、たしかに僕らのテイストが反映されています。僕らはアクションコメディ映画が大好きで、それも強いヒーローが活躍するアメリカ映画ではなく、チャウ・シンチーやジャッキー・チェンの作品から多大な影響を受けました。不条理なほどのバカバカしさとクールなアクションを組み合わせるのは、映画製作で最高にエキサイティングな瞬間です。

K　でもバカバカしさだけでなく、マルチバースが起こりうる可能性を論理的にも追求していますよ。僕は映画オタクであると同時に科学オタクなので、量子力学や量子物理学、確率論などを学び、マルチバース全体を図表にする作業にも没頭しました。

――話を聞いていると、あなたたちは志向が似ているようで、微妙に違うようにも見受けられます。映画製作のプロセスでも得意分野で分業しているのですか？

K　コンビを組んで『エブエブ』が完成するまで12年が経過しましたが、おたがいを理解するようになった現在、分業する部分も多いです。僕はキャスティングが苦手なので、そこは俳優の学校にも通っていた彼（シャイナート）の視点に任せるようにしています。

S　編集では僕がラフカットを行って、ダン（クワン）がさまざまな微調整でファイナルカットを仕上げます。作曲家とのやりとりもダンがメインですね。僕はプロダクションデザインに積極的で、小道具を作ったり、爆発の仕掛けを考えることに夢中になります。

『LAMB／ラム』
ヴァルディミール・ヨハンソン監督

文＝斉藤博昭

――『LAMB／ラム』はアメリカや、ここ日本も含めて各国で思わぬヒットを記録しました。何が要因だと考えますか？

ヴァルディミール・ヨハンソン（以下J） 正直言って、これほどの反響は私にとっても予想外で、その答えには迷ってしまいます。強いて挙げるなら、主演のノオミ・ラパスが世界的に有名であること。そして家族のドラマを描いていること。そこに多くの人が好きそうなシュールな要素が絡んだからではないでしょうか。私は観た人に、ひとつの解釈を与えるのが好きではありません。どんな反応でもいいので、観客に映画の一部になってもらいたいのです。

――羊を題材にした理由を教えてください。他の動物の可能性もありましたか？

J 私は祖父母が営んでいた農場で長い時間を過ごしていました。そこで羊のかわいいさと美しさは別格だと刷り込まれた経験が、今回の映画につながったのです。羊以外の動物を選択する余地もあったとはいえ、犬や猫はちょっと私向きではないので、いつか別の映画で活躍してもらいましょう。

――主人公の夫婦が育てるアダは、羊と人間のハイブリッドです。こうした動物と人間が合体したキャラクターの発想は、あなたの国、アイスランドの文化とも関係しているのですか？

J アダのキャラクターは脚本を書きながら生まれたもので、アイスランドの文化にアダのような前例はありません。動物と人間のミックスは、単に私が魅了された造形と言っていいでしょう。ただアイスランドには、大自然に対する独特の敬意があります。厳しい自然は、ひとつの人格のように恐れられ、われわれ人間は逆らえません。その敬意や畏怖が民話や寓話を生み、幽霊、トロール（妖

ヴァルディミール・ヨハンソン監督
Valdimar Johannsson

「どんな反応でもいいので、観客に映画の一部になってもらいたい」

精)、あるいは水の中に住む馬などがファンタジーとして身近な存在になっています。

——映画は3つの章で構成され、赤ん坊だったアダが二本足で歩行し、人間のような仕草をするなど、成長のプロセスが描かれます。その映像表現について詳しく聞かせてください。

J 人間の俳優、パペット、本物の子羊をあらゆる方法で使い分け、そこにビジュアル・エフェクトを加えています。アダが歩いたりしていなければ、本物の子羊がメインだと思ってください。撮影現場には4頭の子羊が待機していました。第1章に出てくるアダには、その4頭が使われています。その後、第2章、第3章と撮影が進むうち、子羊たちも成長してしまい、アダにふさわしくなくなりました。そこからは、年齢は5歳か、もうちょっと上の10人ほどの子役に参加してもらい、パペットも取り入れてアダを表現したのです。パペットを動かして、そこに子役たちが合わせるため、われわれは忍耐強く彼らの演技を見守りました。被ってる帽子などにCGが使われてはいるものの、結果的に、われわれスタッフも、俳優たちも、実際にアダというキャラクターが撮影現場に存在しているような感覚を味わっていました。リアルではない部分を指摘してもらおうと、完成した映像を羊飼いの友人に観せたところ、彼ですら本物の羊とパペット、CGの区別ができなかったので、私も安心したわけです。

——作品のラストには、目を疑うような恐ろしいクリーチャーも登場します。

J あのクリーチャーは作品の中でも重要です。経験豊富なメイクアップ・アーティストの助けを借りて、長い時間をかけてどんなスタイルが正しいのか模索し、あのデザインに行き着きました。アイスランドの羊の特徴もうまく取り入れられたと思います。グリーンランドで暮らす人が『LAMB／ラム』を観て、「あのクリーチャーをグリーンランドで見たことがある」と言っていたそうです。どうやら彫刻らしく、私も確認しに行かなくてはいけません。このクリーチャーが何を象徴するのかは、観た人それぞれが解釈するべきでしょう。もちろん自然の象徴かもしれませんが、あえて私は明言しません。

——「解釈は観た人に委ねる」というのは、あなたの映画作りのポイントのようですね。

J そのとおりです。私自身も長い時間をかけて脚本を書き、映像化に取り組んでいくうちに、作品全体のイメージや、込めた意味合いが変わっていきます。新たに発見する作品のメッセージもありました。そして完成作を観た人から、私が考えもつかないテーマを教えられたりすると、それを私も受け入れるわけです。そんな風にそれぞれの立場で解釈できるのが、映画の喜びではないでしょうか。

――あなたは『LAMB／ラム』で世界的に注目されましたが、特殊効果（ビジュアル・エフェクト）などのスタッフとして、ハリウッド大作に関わったキャリアもあるそうですね。

J　アイスランドで撮影された『オブリビオン』では照明を担当しました。また特殊効果では、『ローグ・ワン／スター・ウォーズ・ストーリー』でマッツ・ミケルセンが登場する冒頭の黒い砂、『プロメテウス』でノオミ・ラパスやシャーリーズ・セロンが走るシーンでの多数の石などを手がけています。ちなみにノオミとは『プロメテウス』の現場で話す機会はなかったのですが、彼女は6歳までアイスランドで暮らし、アイスランド語も話すので、今回の『LAMB／ラム』の役にぴったりだと思ってオファーしました。

――『LAMB／ラム』の次には、どんな方向性の作品を準備しているのでしょう。

J　『LAMB／ラム』と同じように、新作に対してはイメージを積み重ねています。いくつかの動物が登場し、やはり非現実的で奇妙な要素が含まれるはずです。アイスランドを舞台に描くことになりそうですが、他の国でも起こりうる設定なので、日本でも理解してもらえるでしょう。私は映画のジャンルに強いこだわりはないものの、やはりスーパーナチュラル（超現実的）な要素や、普通のようで普通ではない表現に惹かれるようです。

――あなたにとって映画を作る喜びとは何ですか？

J　やはりチームワークでしょうか。創造力が豊かな才能と同じゴールを目指す感覚が大好きなんです。私のクルーのほとんどは、長年、同じ業界で一緒に仕事をしてきた面々なので、おたがいを心から理解し合う友人でもあります。映画は1人で作ることはできません。才能のある気の合った仲間と仕事ができることを、私は心から楽しんでいます。

『LAMB／ラム』
Lamb

2021年アイスランド・スウェーデン・ポーランド合作映画／監督・脚本＝ヴァルディミール・ヨハンソン／出演＝ノオミ・ラパス、ヒルミル・スナイル・グズナソン／106分／発売元＝クロックワークス／Blu-ray＆DVD好評発売中、デジタル配信中　●山間に住む羊飼いの夫婦イングヴァルとマリア。ある日、2人が羊の出産に立ち会うと、羊ではない何かが産まれてくる。子供を亡くしていた2人は、"アダ"と名付けその存在を育てることにする。奇跡がもたらした"アダ"との家族生活は大きな幸せをもたらすのだが、やがて彼らを破滅へと導いていく。

『アフター・ヤン』コリン・ファレル ジョディ・ターナー＝スミス

文＝猿渡由紀

『アフター・ヤン』は、瞑想的で、美しく、観終わった後いつまでも考えさせる作品だ。舞台は近未来。ジェイク（コリン・ファレル）とカイラ（ジョディ・ターナー＝スミス）は、アジア系の養女にきょうだいを作ってあげたいと、アジア系のルックスのロボット（ジャスティン・H・ミン）を購入し、ヤンと名付ける。ヤンは完全に家族の一員となるが、所詮は機械で、ある日動かなくなってしまう。ヤンを修理に持っていく中で、ジェイクは、記憶、喪失、人と人とのつながりとはといった、さまざまなことに思いをめぐらせていく。

ジョディ・ターナー＝スミス
Jodie Turner-Smith

「この映画は内面を静かに描写していく」

　ファレルとターナー＝スミスは、アジア系監督コゴナダが書いた、静けさと「間」のある脚本に強く惹かれた。

「脚本を読んでいても、沈黙、キャラクター同士の間にスペースがあるのが分かった。コゴナダが書くセリフはとても美しいが、セリフのないところでもキャラクターが経験していることを感じさせるんだ。同じ部屋に２人の人がいて黙っている時、そこでは何が起きているんだろう？　これは、常に何かが起こる映画ではない。演技の勉強ではキャラクターの目的ということがよく語られるが、今作に関しては、目的が何かというよりも、その状況にオープンになり、身を任せる感じだった」（ファレル）

「こんなに斬新かつ思慮深い脚本に巡り会えることはそうそうないわ。この映画は内面を静かに描写していく。演じていても、なぜ今、自分がそう感じているのか、自分でも説明できないことがあった。私はそこに正直に存在し、そこから何が起きていくのかを見つめたの。そんな体験ができたのはとても素敵」（ターナー＝スミス）

　ヤンは自分が人間ではなく、プログラミングされているロボットであることを知っている。だが、もしかしたら私

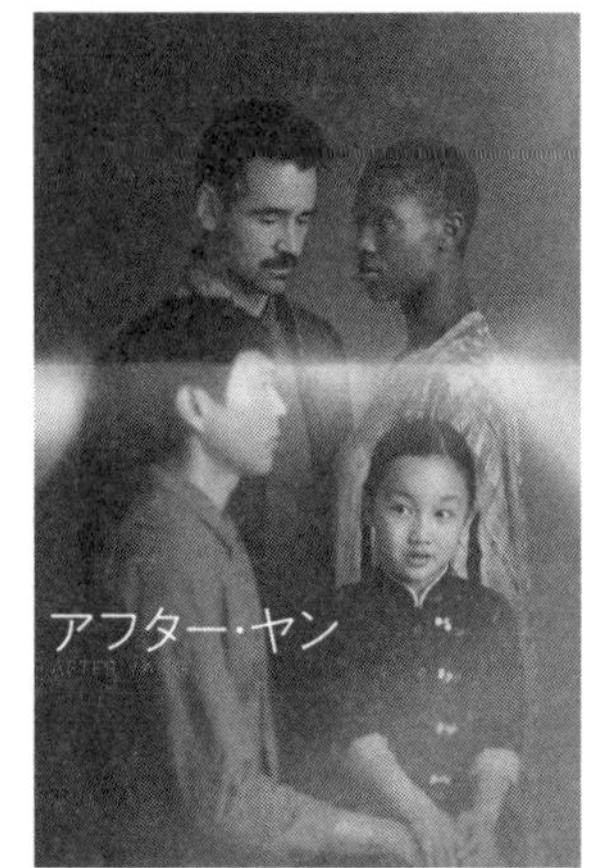

コリン・ファレル
Colin Farrell

「セリフのないところでもキャラクターが経験していることを感じさせるんだ」

たち人間も、生きていく中でプログラミングされていくのではないか。それはこの映画が問いかけてくることのひとつだ。「この映画を撮影してから、『私はプログラミングされているから今こんなことを言ったのかしら』などと考えるようになったわ」と、ターナー＝スミス。ファレルもこの部分に強く共感した。

「人間は外からの刺激に反応する。目にすること、耳にすること、周囲の人々の意見や考え方に、影響を受けていく。もし僕がアイルランドではない、世界の違う場所に生まれ、違う宗教のもとに育ったならば、今の僕とまったく同じ人間にはなっていなかったかもしれないよね。

子供の頃の体験は、今の自分をどう形作ったのだろう。40代なかばになって、時々そんなことを考えるよ。ジェイクも、同じことを考える。彼には、頭が良くて優しい妻がいる。かわいらしい娘もいる。だが、彼は自分の人生をあらためて深く見つめ直すことになる。ヤンがその機会をくれるんだ。人は時に、人生が見えなくなることがある。そんな時は、自身を見直し、自分にとって大切な人のハートに入り直して、再び人生を分かちあえるようにしないといけない」（ファレル）

自動運転の車など近未来らしさがある一方で、ジェイクがお茶の専門店を経営しているなど、将来、伝統がどう受け継がれていくのかということにも、この映画は思いをめぐらせる。役作りのためにお茶について学べたのも、ファレルにとっては素晴らしい体験だった。

「この映画のロケに使ったブルックリンのお茶専門店で、オーナーからいろいろ教えてもらったんだ。正しいお茶の儀式について学べたのは、とても素敵だったよ。うるさくて混乱した現代社会に生きているだけに、僕は儀式というものが好き。それが世代から世代へと引き継がれていくということにも美しさを感じる。この映画の撮影中、僕はホテルの部屋でも、正しい形で自分のために お茶を淹れていた。撮影現場の外でも、ジェイクが店で着る服を着て歩き回ったしね。あの服は今も持っている。この映画でせっかく知ったお茶の素晴らしさを、これからも堪能していこうと思うよ」（ファレル）

『アフター・ヤン』 After Yang
2021年アメリカ映画／監督・脚本・編集＝ココナダ／出演＝コリン・ファレル、ジョディ・ターナー＝スミス、ジャスティン・H・ミン、マレア・エマ・チャンドラウィジャヤ／96分／配信＝キノフィルムズ
●“テクノ”と呼ばれる人型ロボットが、一般家庭にまで普及した未来世界。茶葉の販売店を営むジェイク、妻のカイラ、中国系の幼い養女ミカは、慎ましくも幸せな日々を送っていた。しかしロボットのヤンが突然の故障で動かなくなり、ヤンを本当の兄のように慕っていたミカはふさぎ込んでしまう。
主要配信プラットフォームにて現在配信中

『グリーン・ナイト』デヴィッド・ロウリー監督

文＝斉藤博昭

――シーツを被った幽霊が妻を見守る『A GHOST STORY／ア・ゴースト・ストーリー』、ロバート・レッドフォードの俳優引退作としてコミカルな味もある犯罪劇『さらば愛しきアウトロー』、さらにファンタジー名作の新たな映画化『ピーター・パン&ウェンディ』と、あなたの監督作はジャンルも、テイストもバラエティに富んでいます。

デヴィッド・ロウリー（以下L） 確かに私の監督作は、バラバラなイメージですね。その点は自分でも認識しています。ただ私自身としては、同じストーリーを多くの角度から繰り返している感覚なんですよ。そうやって別方向に枝分かれした作品が、映画作家としての一貫性を打ち破っているのかもしれません。どうやったら自分の作家性を構築できるのか。実は常に私は考え続けているものの、どうも変化を止められないみたいです（笑）。

――『グリーン・ナイト』は、自身のキャリアでどのように位置付けされるのでしょう。

L 子供時代に最も影響を受けた映画監督が、ジョージ・ルーカスとティム・バートン。私のこれまでの監督作には彼らのテイストをあちこちで発見できると思います。大人になるにつれ、アート系のインディーズ作品、海外の映画などにも夢中になりましたが、ハリウッド大作への愛も衰えず、今回の『グリーン・ナイト』で、私はその両者、つまりマニアックな味わいとエンタメとしての面白さを合体させようと試みました。そんなことを考えていた時に、たまたま自宅で大切に保管していた『ウィロー』のアクションフィギュアを目にして、中世の冒険物語の脚本を書き始めたのです。

――『グリーン・ナイト』で緑の騎士との約束を果たすため、壮絶な旅に出る主人公ガウェインには、あなた自身が投影されているのでしょうか？

L 私は常に自作の主人公に自分を投影しています。それこそが脚本を書く出発点ですから。そしてある段階で監督として客観的に作品と向き合うわけです。今回、特に私が

デヴィッド・ロウリー監督
David Lowery

「A24の最も重要な使命は、
過去の映画とは明らかに違う世界を
観客に教えること」

重なるのは、母と息子の関係かもしれません。私は大人になりたがらない子供でした。今もそんな側面があります（笑）。そんな私を見るに見かね、責任感をもたせ、成長させるよう仕向けたのが母親です。今回、ガウェインと母親の関係を脚本で書いている時、明らかに私と母を重ねていました。

――ガウェイン役のデヴ・パテルはあなたの分身と言えそうですが、一方でガウェインの恋人エセルと、彼が旅先で立ち寄る謎めいた屋敷の奥方で、アリシア・ヴィキャンデルに2役を演じさせたのは大胆なチャレンジです。

L　最初から1人2役とは考えていませんでした。アリシアに会って、できるだけ彼女を長く出演させたいと思ったのです。エセルと奥方は、それぞれの映し鏡のような役どころで、ガウェインにとって必要な女性の両面を表現しています。でもその両面はあくまでもガウェインに向けたもの。脚本の流れを重視しており、そこに私の〝女性観〟は反映されていません（笑）。

――『グリーン・ナイト』は中世を舞台にしていますが、どこか時空を超えた幻想的な美しさ、不気味さが全編に漂っています。

L　歴史的に正確なプロダクションデザインを追求したわけではなく、SFやファンタジーのジャンルを意識しました。一応、舞台は中世イギリスですが、あえて当時の文化や建築からは離れ、『スター・ウォーズ』の世界からインスパイアされたと言ってもいいでしょう。これまでの映画で観たことのない中世のビジュアルを模索した感じですね。とにかくこの映画では、あらゆる点で、ひとつの時代、ひとつのスタイルに収まらない画を作り出したかったのです。

――ガウェインは道中で奇々怪々な風景やクリーチャーに遭遇しますが、ひときわインパクトを放つのが〝さまよえる巨人〟です。

L　私は巨人が大好き。そびえ立つキャラクターに本能的に惹かれるので脚本に登場させたのですが、そこに私のジェンダーについての意識も込めました。そもそもアーサー王の伝説は男らしさを強調しており、そのまま描いたら、今の時代では批判もされるでしょう。本作の巨人は、過去の価値観に囚われた世界を置き去りにして、遠くへ旅立つ存在にしました。それでちょっと女性的な外見なんです。巨人には服も髪の毛も必要ないと考え、あのようなデザインに行き着きました。私の坊主頭もヒントにして（笑）。

彼らがどこへ向かい、どう子孫を残すのか、想像を巡らせる意味で、巨人のシーンには私の思いが凝縮されています。視覚的な美しさでも本作のテーマを伝えているので、いつか巨人を中心に新たなチャプターを映画にしてみたいですね。

——ジェンダーへのこだわりは、冒頭のナレーションの声にも反映されたとか。

L　あのナレーションでは、声の性別が分からない効果を狙いました。そこでまず私の声で録音し、さらに妻（オーガスティン・フリッゼル）に同じ文言で録音してもらい、2人の声を合成したのです。その結果、意図どおりの声質が誕生しました。

——気温の低いアイルランドの荒野でのロケなど、撮影は過酷を極めたそうですね。

L　最悪の体調でした。最初はひどいインフルエンザにかかり、一度は回復したものの、再び感染し、体内に膿瘍ができて手術が必要とされる状態だったのです。それでも撮影を続けたので、一時は死の恐怖とも闘いました。とにかく生き残ることだけを考えながら映画を撮ったプロセスは、過酷で残酷な運命をたどったガウェインに似ていたかもしれません。

——『グリーン・ナイト』で観た人に最も〝刺さる〟のは、どんな部分だと思いますか？

L　〝誠実さ〟でしょうか。自分を罠にはめようとする試練に対し、主人公は深い誠実さを身につけ、闘おうとします。そこは原作に当たる叙事詩から私が意識して引き出した部分で、映画のテーマでもあります。その誠実さを観た人がクールに感じてくれれば幸せです。

——『ア・ゴースト・ストーリー』はA24が北米の配給を手がけました。その縁で『グリーン・ナイト』は同社が製作から関わることになったのですか？

L　確かに『ア・ゴースト・ストーリー』での経験、および同作の成功によって、2度目の協力が実現したと思います。私自身、もう一度仕事をしたかったので、『グリーン・ナイト』の企画を最初にA24に送りました。もし断られていたら他の会社に当たっていたでしょうが、快諾してもらい心から感謝しています。私が描きたいことをA24の人たちは観てみたいと感じ、受け入れてくれたようです。

——A24に断られた場合、『グリーン・ナイト』をあなた

の意図どおりに映画化してくれる会社は他にあったと思いますか？

L　それは仮定の話ですから、答えるのは難しいですが、このようにマニアックなテイストも含んだ作品を完成させるうえで、A24以上に適した会社は思いつきません。とにかくA24は野心的なんです。彼らの最も重要な使命は、過去の映画とは明らかに違う世界を観客に教えること。〝教える〟と言っても学校の勉強のようにではなく、楽しく魅惑的に〝観せる〟のが彼らのこだわりです。私の映画、つまり今回の『グリーン・ナイト』のような作品を、世界中の観客に、しかも映画館のスクリーンで届けるチャンスを与えるうえで、A24は最高のスタジオだと断言できます。

――あなたのようにA24を最高だと語る人が多くなると、逆に人気のスタジオとして、企画が通るハードルも高くなっていくような気がします。

L　いや、そうは思いません。私の知り合いで、やはりA24で仕事をした監督たちも、映画製作に関するA24の柔軟な対応を評価しています。企画を通す難しさ云々ではなく、お互い納得した位置に立つための話し合いや努力を彼らから常に感じます。キャスティングや映画の長さ、編集など、作り手側の意図をどこまで信頼してくれるか。そこがポイントになるので、ハードルが高くなっている実感はありませんね。

――A24の作品が評価されることで、同じようなスタンスで作品を探す他の製作会社も出てくるはずですが、そのような動きは感じていますか？

L　何かが人気になることで、それを批判したり、反発したりする動きが生じるのも事実です。独自のジャンル、作品のオリジナリティがいつまで持続するかは不透明で、もしかしたら10年後にはA24の映画はクールでなくなっている可能性もあるでしょう。あるいは、そうならないかもしれない。ただ、カッコいいものと、カッコ悪いものは表裏一体です。カッコ悪さが時代が変わってクールに見えることもありますから。少なくとも現時点の私はA24と並走しながら、観客の心をつかんでいけると信じています。

『グリーン・ナイト』
The Green Knight

2021年／アメリカ・カナダ・アイルランド合作映画／監督・脚本・編集＝デヴィッド・ロウリー／出演＝デヴ・パテル、アリシア・ヴィキャンデル、ジョエル・エドガートン、ショーン・ハリス、バリー・コーガン／130分／DVD発売中／4,620円（税込）／発売元＝トランスフォーマー、販売元＝TCエンタテインメント　●クリスマスの日。アーサー王の宮殿では、円卓の騎士たちが集う宴が開かれていた。その最中、緑の騎士が現れ、恐ろしい首切りゲームを提案する。その挑発に乗ったアーサー王の甥であるサー・ガウェインは、彼の首を一振りで斬り落とす。緑の騎士は転がる首を拾い上げると、「1年後のクリスマスに私を捜し出し、ひざまずいて、私からの一撃を受けるのだ」と言い残し、馬で走り去るのだった。

『ミナリ』
スティーヴン・ユァン

文＝斉藤博昭

——「ウォーキング・デッド」や『バーニング 劇場版』などハリウッドと韓国映画の両方で活躍が続いているなか、『ミナリ』で主演を務めたわけですが、ぜひやりたいと思ったのでしょうか？

スティーヴン・ユァン（以下Y） 基本的に僕は、やりたい作品を探すというより、持ち込まれた企画を引き受けるパターンが多いです。アジア系の俳優へのオファーはまだ限定されていますし、「こういう作品に出たい」と考えすぎると、逆に役を掘り下げる部分が狭くなってしまうからです。この『ミナリ』も僕のエージェントから勧められた作品で、概要を読んでみたところ、僕が伝えたいドラマをすべて語っていると実感しました。移民の家族の物語は、マジョリティの視点から差別や抑圧が描かれやすいですが、『ミナリ』は主人公の家族に価値があることを追求していた。そこが勇敢で新鮮に感じ、ぜひ参加したいと決意したわけです。

——監督のリー・アイザック・チョンは同じく韓国系で、『ミナリ』は彼の幼少期もヒントに脚本が書かれました。監督と主演俳優として、どのような関係でしたか？

Y 実はアイザックは、僕の妻のいとこなんです。ただ、『ミナリ』の話がオファーされる前に彼と会ったのは、僕の結婚式、親戚の結婚式、そして彼の初監督作のシカゴでのプレミアくらいでした。結婚式でも映画の話はしていません。エージェントから「あなたのいとこが監督です」と聞かされても、「誰それ？」とピンとこなくて（笑）。でも、こうしたかたちで一緒に仕事ができるのは、実にクールだと感じています。

——現場での監督の演出スタイルについて聞かせてください。

Y アイザックは撮影前の準備を完璧に済ませるタイプの監督で、本番では2テイクか3テイク撮って、どんどん進めていきます。一方でイメージを固めて俳優に要求するわけではないので、かなり自由に演じることができました。ジェイコブが妻とケンカするシーンでは、アイザックが延々とカメラを回し続け、最終的に僕が怒って家から外に出るのですが、アドリブも含めた長回しで次のシーンに移り、いい演技ができたと思います。撮影中で最も忘れられない瞬間でした。また、ある日の撮影が予定どおり終わり、夕日があまりにきれいだったので僕がタバコを吸っていたら、たまたまカメラマンに撮影され、その映像が本編で使われたりしました。そんな風に集中力が要求されつつ、全体にはリラックスした現場だったと思います。

――ジェイコブという役には、監督の父親がイメージされた部分もあるはずです。そこは演じるうえで意識しましたか？

Y そこは、あまり考えませんでした。アイザックは懐の深い人なので、自分のリアリティを俳優に課す気はまったくなかったと思います。脚本の段階から、演じるうえでの〝余白〟を残していました。そもそも彼は「ジェイコブは自分の父とは別の人間」という意識だったはずです。僕ら俳優も、書かれたストーリーを表現するために全力を尽くせば良かったのです。

――あなたはソウル生まれで、幼少期にカナダからアメリカへ移住しました。『ミナリ』で演じたジェイコブは、あなたの父親とも近い立場でもあるでしょう。演じる際に両親を参考にしたりは？

Y 両親のように、新しい人生を求めて、まったく知らない土地へ移り住もうという強いモチベーションは、僕には理解できない部分もあります。でもそんな両親の下で育ち、一緒に生活していたわけだから、彼らの生き方を学んだのも事実です。そのあたりの感覚を、ジェイコブを演じる際に利用しました。ジェイコブは、運命を強引に自分でコントロールしようとします。僕の父も彼と似た思いがあったはずで

『ミナリ』

スティーヴン・ユァン
Steven Yeun

「『ミナリ』は主人公の家族に価値があることを追求していた」

す。そのうえでジェイコブの欠点を挙げるとしたら、家族と分かち合う気持ちを忘れていることかもしれません。それを謙虚に学んでいく過程を、僕は演技で表現しようと思いました。

――あなた自身は、移民の息子として何か特別な感覚があったと思いますか？

Y　4歳の時に移民として新しい土地に来た僕は、韓国人としての空間、そしてアメリカ人としての空間の両方で、うまくやっていく術を学んでいきました。その結果、分かったのは、両方の空間から誤解も受けてしまうこと。つまり自分だけがいつも独自の空間にいる孤立感を味わったのです。それはある意味で、正直な感覚でしょう。だからジェイコブが置かれる孤独の立場は共感できました。韓国系アメリカ人である自分のアイデンティティを、僕は演技の仕事によって少しずつ理解している気がします。

――『ミナリ』のように自身のルーツを探る作品は、アイデンティティの考え方に影響をもたらすものなのでしょうか？

Y　自分が誰なのか。その答えは永遠に分からないかもしれません。『ミナリ』に限らず、これまで演じてきた役によって、僕は自分のアイデンティティを少しずつ掘り下げているからです。この『ミナリ』では、人間の二面性や葛藤は誰でも抱えるものだという事実がヒューマンな語り口で表現されており、僕もある種の開放感を受け取りながら演じられました。その部分は『ミナリ』を観た多くの人にも響いているはず。韓国系アメリカ人の物語ながら、文化的背景をまったく知らなくても没入できます。人間は誰しも存在し、誰かと関わりながら、自分の人生を作り出そうとする。もちろん演じた僕らは文化的知識をふまえていますが、映画を受け取る人には求めない。そこが『ミナリ』の魅力だと感じます。

――「企画を待つ」というスタンスを語っていましたが、俳優としての野心、やりたい方向性もあるわけですよね。

Y　もちろん夢や野心を模索したことはありますが、今は幸運に恵まれ、声をかけてくれる人に感謝するという状況なので、役を選ばず何でも挑戦したいと感じます。最も惹かれるのは、その作品が独自の〝声〟を持っていることでしょうか。ユニークな視点で、作品自体に大きな自信を感じられるもの。イ・チャンドンやポン・ジュノ、リー・アイザック・チョン、スティーヴン・カラム（ユァンが出演した『The Humans』の監督）には、そうした唯一無二のセンスがあります。

リー・アイザック・チョン監督

文＝斉藤博昭

リー・アイザック・チョン監督
Lee Isaac Chung

「プランBもA24も、
一度ゴーサインを出したら、
リスクも冒す姿勢を貫く会社です」

――『ミナリ』の一家は、ロサンゼルスからアメリカ南部のアーカンソー州に移住しますが、あなたも子供時代にコロラドからアーカンソーへ移ったそうですね。まさに自身の家族を描いた面もあるわけですが、両親にはどのように承諾を受けたのですか？

リー・アイザック・チョン（以下C） 新作を撮り始めることを両親に報告する際に、物語はあくまでもフィクションだと伝えました。ただ、舞台はアーカンソーで、両親と2人の子供という設定は、まさしく我が家と同じ。両親は現在もアーカンソーに住んでいるので、彼らは自分たちの過去が語られるのではないかと心配したと思います。ですから私はあえて詳しい内容を秘密にしていました。内容は別にして、両親はキャストにユン・ヨジョンの名を見つけて大興奮していました。2人とも彼女の大ファンなんです（笑）。『ミナリ』が完成し、正式上映の3週間前、2019年の感謝祭で私は両親と姉に、自分たちの家族をヒントにしたことを打ち明けました。犯罪者が真実を吐露するような気分で、不安を感じながら映画を観てもらったところ、上映後、みんなは大喜び。抱き締め合って、忘れがたい時間を過ごすことになりました。両親らが抱えていた不安は一気に払拭されたと思います。

――『ミナリ』の描写や展開は基本的にフィクションということですが、あなたの少年時代はどんな部分に反映されているのでしょうか？

C　映画のオープニングは、まさに私の少年時代そのものです。トレーラーハウスが新しい住居になったことで、私は〝車輪付きの家〟だと大喜びして、「結婚しても一生ここで暮らしたい」と両親に言ったのは事実ですから（笑）。その際の母の動揺や、父の興奮も、映画のとおりです。もちろん現実とは異なる描写も多く、たとえば一家4人が床の上でゴロンと並んで寝ているシーンは、事実ではありません。しかし映画を観た父は、あの描写が記憶とつながったと感激していました。おそらく父は、家族であのように寝転びたい願望があり、事実だと錯覚したのではないでしょうか。これは映画の起こした不思議な奇跡であり、その意味で、家族で並んで寝たシーンが個人的なベストショットです。父にはあえて、私の創作だと告白していません。

――『ミナリ』の製作はプランBで、配給がA24です。この2社の作品といえばアカデミー賞作品賞に輝いた『ムーンライト』があります。やはり彼らのサポートは大きかったのでしょうか？

C　プランBもA24も、監督のビジョンを信頼し、一度ゴーサインを出したら、リスクも冒す姿勢を貫く会社です。実際にそのポリシーを、私は目の前で断言されました。とくに『ミナリ』のように監督が脚本も書く作品では、作り手の考えを重視してくれるようです。そのうえで彼らは、スタジオとして、そしてプロデューサーとしてさまざまなアドバイスを出してくれます。撮影中はそれほど何も言われなかったのですが、編集の段階でもらったアドバイスは、私も編集のハリー・ユーンもかなり参考にしました。プランBもA24も、韓国語も使ってサポートし、相談にのってくれ、これは他のスタジオだったら、もしかしたら難しかったかもしれません。『ミナリ』には韓国語のセリフが多いのですが、この部分にも両社は寛容でした。ここ数年、アメリカの観客も字幕で映画を観ることに慣れてきて、映画の作り手がそれぞれのコミュニティの物語を語る機会が増え、そこは歓迎すべき状況ですね。

――2020年1月のサンダンス映画祭で『ミナリ』がグランプリ（審査員賞）と観客賞を受賞し、その直後、世界は新型コロナウイルスのパンデミックに入りました。A24にとっては劇場公開が困難な面もあったと思います。

C　コロナによってアメリカはかなり大変な事態となり、サンダンスの後に私自身、『ミナリ』について語るチャンスもなくなりました。劇場に関しては州によって営業を続けているところもあり、友人から「観た」というメールももらいました。限られた観客とはいえ、大きなスクリーンで、作曲家や編集者の仕事を観てもらえたことは、コロナ禍での大きな喜びです。このような悪条件の中で、劇場公開に踏み切ってくれたA24の判断は実に正しく、誇りに感じています。

――『ミナリ』の演出で影響を受けた監督として、小津安二郎の名前を挙げています。

C 世界中の多くの監督が小津作品を模倣していますが、苦労するばかりでうまくいっていない気もします。小津は、マネしたくても難しい、稀有な映画作家なのです。私が小津作品から受けた最も大きなインスピレーションは、ヒューマニズム。作品における個々の人物や家族に対する愛が尋常ではないからです。『ミナリ』での具体的なオマージュは、トイレにまつわるジョークで、小津作品のおならのネタ（『お早よう』）から思いつきました。また、子供が怒られるシーンなど、私はカメラを覗き込み、「小津さん、愛しています」と心で叫びながら、リスペクトを捧げましたよ（笑）。小津作品で強いて最高の1本を挙げるなら『浮草』でしょうか。映画の撮影では、クルーがひとつの家族のようになりますよね？ そこに『浮草』の旅回りの一座の関係を重ねてしまうのです。

――映画監督になることは、子供時代からの夢だったのでしょうか？

C 実は子供の頃は近所に映画館も少なくて、それほど多くの映画を観ていませんでした。大学の卒業の際に、映画製作の授業を受講しなくてはならず、そこで映画と恋に落ちてしまったのです。私が医者になると信じていた両親に、映画の道へ進むことを伝えたのは、フロリダのディズニーワールドでした。アトラクションの行列に並んでいる時に、思い切って話しましたが、その瞬間、ディズニーワールドは私にとって世界でいちばん辛い場所になったのです。しかし両親は寛大で、私が映画を学ぶ支援をしてくれました。両親の協力なくして、今の私はありません。

『ミナリ』
Minari
2020年アメリカ映画／監督・脚本＝リー・アイザック・チョン／出演＝スティーヴン・ユァン、ハン・イェリ、アラン・キム、ノエル・ケイト・チョー、ユン・ヨジョン／116分／発売＝ギャガ／DVD 1,257円（税込） ●1980年代、農業で成功することを夢みる韓国系移民のジェイコブは、アメリカはアーカンソー州の高原に、家族と共に引っ越してきた。荒れた土地とボロボロのトレーラーハウスを見た妻のモニカは、いつまでも心は少年の夫の冒険に危険な匂いを感じるが、しっかり者の長女アンと好奇心旺盛な弟のデビッドは、新しい土地に希望を見つけていく。まもなく毒舌で破天荒な祖母も加わり、デビッドと一風変わった絆を結ぶ。だが、水が干上がり、作物は売れず、追い詰められた一家に、思いもしない事態が立ち上がる。

『フェアウェル』ルル・ワン監督

文＝斉藤博昭

——『フェアウェル』はA24が北米公開での配給を手がけました。A24に任せたことで、どのようなメリットがあったと思いますか？

ルル・ワン（以下W） A24はインディペンデント映画配給のトップという認識で、私自身、彼らが手がけた作品が大好きでした。トップと言われる理由は、マーケティング（宣伝）チームが優秀だからだと思います。私が会った人はみな、クリエイティブな才能を発揮していました。『フェアウェル』でA24に感謝したいのは、彼らが「英語字幕が使われるのは外国映画」というアメリカの観客の思い込みを払拭しようとした姿勢です。アメリカで製作されたアメリカ映画でも、もし英語以外がセリフで使われたら、字幕で表現されるべきだと、A24はアメリカ人に訴えてくれました。外国映画となるとマーケティングにも独自の方法が模索され、難しい面もたくさんあります。A24は『フェアウェル』を「グローバルな作品」と捉えてくれた気がします。登場人物たちはアジア系がメインで外国語を話しますが、あくまでもこれは「アメリカの物語」なんです。そんな私の思いに、A24は真摯に向き合い、正しい方向に導いてくれました。

——あなたと祖母の関係を基にして本作の物語を作ったそうですね。

W 脚本の段階から、私が主人公ビリーの視点で描いていました。彼女の祖母の死に対する恐怖や緊張感が全編の軸になっています。ニューヨークで暮らすビリーが中国に着き、祖母のナイナイに会う瞬間などは、私のアメリカ人としての主観を際立たせました。ただ書き進めるうちに、祖母のナイナイや、家族や日本人も含めた親戚の視点も少しずつ入ってくることで、最終的には客観性のあるドラマになったのではないでしょうか。もともと自伝的映画にするつもりはなかったので。

——本作を撮るうえでインスピレーションを受けた監督や作品を挙げてください。

W スウェーデンのリューベン・オストルンド監督の『ザ・スクエア 思いやりの聖域』や、イギリスのマイク・リー作品を参考にしました。そして一番影響を受けたのは是枝裕和監督の『歩いても 歩いても』です。本作のために何度観直したか数えきれないほどです。是枝さんの作品からは、つねにエモーショナルな瞬間とヒネリの効いたユーモアのバランスを学んでいます。技を盗んで、自分の武器にする感覚ですね（笑）。

ルル・ワン
Lulu Wang

「英語以外がセリフで使われたら、字幕で表現されるべきだと、A24はアメリカ人に訴えてくれました」

——映画監督を目指す前に、クラシックのピアニストだったあなたは、やはり映画を作る際に音楽を重視するのでしょうか？

W 4歳からクラシックのピアノを学び、ミュージシャンとしてのキャリアも積んだので、確かに映画を作り始めた頃から音楽を強く意識しています。脚本を書いている最中から、いくつもの曲を聴き、シーンに合わせた音楽をイメージして、それを作曲家に伝えるのです。今回の作曲家、アレックス・ウェストンとも密接なやりとりをして、私もいくつかのパートでピアノを演奏しました。サウンドトラックはもちろんですが、映画全体を音楽として捉える傾向もあります。脚本の段階から「このシークエンスはソナタ形式にしよう。長い静寂をキープした後、シーンが変わったら重厚な音を入れよう」などと決め、それを編集時に実現するのです。私にとって映画製作は、音をデザインする作業かもしれません。

『フェアウェル』
The Farewell

2019年アメリカ・中国合作映画／監督＝ルル・ワン／出演＝オークワフィナ、ツィ・マー、ダイアナ・リン、チャオ・シュウチェン、水原碧衣／100分／DVD発売元・販売元＝インターフィルム

●ニューヨーク。幼少時、中国の長春から移民した女性ビリーは、よく電話で話すほど仲が良い祖母ナイナイが、肺がんで余命が3ヵ月を切っていると両親に知らされる。中国では患者にがんを告知しないのが慣習で、一族はナイナイと最後の交流をすることに。だが現地でビリーはナイナイにがんを知らせないことに疑問を抱き続ける。

『ラスト・ブラックマン・イン・サンフランシスコ』ジョー・タルボット監督 ジミー・フェイルズ

文＝猿渡由紀

『ラスト・ブラックマン・イン・サンフランシスコ』で長編監督デビューを果たしたジョー・タルボットは、5世代にわたるサンフランシスコ市民。この映画に主演するジミー・フェイルズとは高校時代からの親友で、ストーリーは彼の体験に間接的に基づいている。

「僕はその前にも、僕やジミーの人生で起きたことを短編映画にしてきた。今回も、ジミーの話を聞いて、何をやりたいのかが自分たちでもはっきり分からないまま撮影を始めたんだ。映画はジミーがサンフランシスコの街をスケートボードで駆け抜けるシーンから始まるが、僕らはまず、その低予算のバージョンを作ってみた。そうしたら地元ではかなり反響があって、ジミーが街を歩いていたら『あれを映画にするなら自分もお手伝いしたい』と言われるほどになったんだ。それで、僕らはチームを作り、5年をかけてこの映画を作ることになったのさ」（タルボット）

フェイルズ演じるジミー（役の名前も本人と同じ）は、時々、フィルモア地区にあるビクトリアン様式の家を眺めに行く。その家は祖父が1946年に建てたもので、ジミーも幼い頃、そこで育った。現在、その家の管理がなっていないことを気にしていたジミーは、その家の所有者の間で揉め事があり、しばらく誰も住んでいないと知ると、親友モント（ジョナサン・メジャース）と一緒に勝手に移り住む。長編映画の主演を務める自信は、まるでなかったと語るフェイルズ。

「自分の体験に基づく話に他人が興味を持ってくれるのか

どうかすら、僕は疑っていた。そんな気持ちを取り除くには、ちょっと時間がかかったね」（フェイルズ）

そんな間も、タルボット監督はずっとフェイルズを信じていた。

「この映画を観た人から、よく『見たことのない俳優さんですね』と言われたよ。だから観客はより共感してくれたのだと思う。リアルだから。ジミーはこの映画ですごいことをやってみせた。普通は助演や、小さな役をやってから主演をやるものなんだ。なのに、彼は突然主演した。周囲のおかげもある。ジョナサン・メジャースやダニー・グローヴァーは、僕らのレベルをもっと上に見せてくれた」（タルボット）

かつてはお金のない人たちが住んでいた場所がどんどんきれいになり、不動産の価格が上がって追い出されていく「ジェントリフィケーション（都市の富裕化現象）」の問題は、アメリカの都市はもちろん、世界でも起きている。

ジョー・タルボット監督
Joe Talbot

「５年間をかけて
この映画を作ることになったのさ」

ジミー・フェイルズ
Jimmie Fails

「この映画を通して黒人男性が持つ
いろいろな側面を見せたかった」

「私の近所でも起きています」というコメントを、ヨーロッパの国の観客からももらったと、フェイルズは語る。ほかにも多くの時事的なトピックに触れられるが、ストーリーの中心となるのは友情だ。

「そのテーマは最初からあったものだ。モントと僕のキャラクターに残っているのは、友情だけ。僕のキャラクターとサンフランシスコをつなげているのは、もはや友情と、あの家しかない。それに、この映画を通して黒人男性が持ついろいろな側面を見せたかったというのもある。黒人の友情をきちんと描く映画は、あまりないよね」（フェイルズ）

友情から生まれた映画のテーマとしても、非常にふさわしい。そんな2人は、次に作る映画についても考えている。

「ジョーからアイディアが尽きることはないよ。そこは心配ないね」（フェイルズ）

『ラスト・ブラックマン・イン・サンフランシスコ』
The Last Black Man in San Francisco

2019年アメリカ映画／監督・脚本＝ジョー・タルボット／出演＝ジミー・フェイルズ、ジョナサン・メジャース、ロブ・モーガン、ダニー・グローヴァー／120分／¥4,180（税込）／発売元・販売元＝TCエンタテインメント　●サンフランシスコで生まれ育ったジミーは、祖父が建て、かつて家族と暮らした記憶の宿るビクトリアン様式の美しい家を愛していた。変わりゆく街の中にあって、観光名所になっていたその家は、ある日現在の家主が手放すことになり売りに出される。この家に再び住みたいと願い奔走するジミーは、今や"最もお金のかかる街"となったサンフランシスコで、自分の心の在り処であるこの家を取り戻すことができるのだろうか。

『ネバー・ゴーイン・バック』オーガスティン・フリッゼル監督

文＝斉藤博昭

――この『ネバー・ゴーイン・バック』の物語は、最初に短編映画を想定したそうですね。

オーガスティン・フリッゼル（以下F） 親友と2人で暮らすアパートに、朝の7時に強盗が押し入ってきて、TVを持ち去られる。そんな私の実体験から、低予算で短編を撮り始めたのです。でも作り始めたら、観客の受けを考えた無難なものになりそうでした。そこで思い出したのは、『ジム・キャリーはMr.ダマー』のような、もともと私が大好きだった映画。下ネタ系や、ちょっと下品なギャグで笑わせるノリを私もやってみよう……と腹を括ったわけです（笑）。それを2人の女の子の視点で描き切ったのが、この映画ですね。

――このタイプの映画は、男性監督が男性を主人公に描くパターンが多い気がします。女性の目線で女性を主人公にすることは大きなチャレンジでしたか？

F 『ジム・キャリーはMr.ダマー』はもちろん、『40男のバージンロード』とか、似たような危険なネタは、確かに男性監督の作品が目立ちます。もし私が男性で、10代の男の子に『ネバー・ゴーイン・バック』と同じことをやらせたら、まったく〝普通のこと〟と捉えられたかもしれません。単に面白い作品と評価され、何の議論にもならないでしょう。今回の場合、女性監督が10代の設定の女の子にあのようなことまでやらせたので、単に珍しがられているだけ。でも、作品の評判を聞くにつけ、女の子たちの下ネタや危ういネタが、あっけらかんと映画で描かれることを、楽しく受け止めてくれる人が多い気もします。

――自伝的な要素を映画にするのは、どんな気分でしょうか。

F　超低予算で撮影し、短編として編集し、それを止めて一から撮り直した経緯があるので、現場にいるときは若い頃を経験しているというよりは、同じ映画を違う俳優で作っている不思議な気分でした。ちょっとシュールな感覚ですね。とはいえ2人のキャラクターが小指を交わして約束する動きなどは、私自身が友人とやっていたことだったので、懐かしく思い出したりして、自分の人生が映画になる奇妙さを感じていました。撮影当時、はたしてこの映画が成功するのか、誰かに観てもらえるのかも分からなかったので、とにかく楽しい気持ちだけは忘れずにいました。こうして自分の若い時代を映画にしたおかげで、いま監督業を歩めていることに感謝するだけです。

オーガスティン・フリッツェル監督
Augustine Frizzell

「A24という名前だけで
観る映画を選んでしまうほど」

――アンジェラ役は、ディズニー・チャンネルの「ティーン・ビーチ・ムービー」で人気スターになったマイア・ミッチェル。そしてジェシー役は、本作の後、実生活でレオナルド・ディカプリオの恋人にもなったカミラ・モローネ（その後、短期間で破局）。絶妙なキャスティングです。

F　2人は両方の役でオーディションを受けていました。この作品で重要だったのは、アンジェラとジェシーの〝相性〟です。たとえば近くに座って、おたがいの目を見つめ合えば、ある程度いい雰囲気は作り出せます。でも、そこにケミストリーが起こるかどうかは、また別の話。マイアとカミラはオーディションの部屋に一緒に入ってきた瞬間から、ケミストリーが感じられました。私は「この2人で決まり！」と完全に自信がもてたのです。撮影で彼女たちに伝えたのは、どんな状況になろうと、2人の友情と若さがもたらす楽しさは絶対に失わないで、ということ。それさえ意識して演じてもらえれば絶対に大丈夫という確信がありました。

――『ネバー・ゴーイン・バック』には、音楽へのこだわりも溢れています。過激なシーンにあえてメロディアスな曲をかぶせてみたり、懐かしのナンバーを持ってきたりしていますが、これはあなたのセンスなのでしょうか。

F　父と祖父がミュージシャンだったこともあって、私は音楽一家で成長しました。本作のタイトルも、私と親友が大好きだったフリートウッド・マックの代表曲（「Never Going Back Again」）をヒントにしています。普通に考えたら、過激なシーンのバックに流すのはヘヴィメタあたりがふさわしいでしょう。でも私は過激さの裏に潜む当人の心の傷みを伝えようとして、バリー・マニロウの「哀しみのマンディ」を重ねました。あと、マイケル・ボルトンのバラードは、私が子供の頃に観て大好きになった『カラテ・キッド2』への変化球的なオマージュです。あの映画でピーター・セテラの「グローリー・オブ・ラブ」が流れた瞬間は、人生で最高にロマンティックな時間になったので（笑）、主人公の1人であるジェシーが絶対的な愛に支配されるシーンで同じ効果を狙い、「ボルトンしかない！」と使用を決めました。

——この作品の撮影現場は、女性スタッフが多かったそうですね。

F　言葉を重ねて説明しなければいけないことも、女性同士だとすぐに分かってくれる。そんなことを認識する現場でした。プロダクション・デザイナーは、女の子の部屋がどんなものかをすぐに理解してくれ、見本を示す必要はありませんでした。撮影監督も同様で、十代の頃の時間が過ぎていく感覚や、若さを表現する温かみのある光などを細かい説明なしで理解してくれました。ただ本作の後に取り組んだ規模の大きな現場では、すべてのスタッフを私が選べず、相変わらず男性優位の業界を実感したのも事実。もちろん同性同士だから良いわけでもなく、相性は重要ですが、映画界はもっと積極的に女性スタッフを増やすべきでしょう。私は自分の経験から、それを強く訴えたいです。

——私生活のパートナーであるデヴィッド・ロウリー監督とは、おたがいの仕事でどのように協力し合っているのですか。

F　私とデヴィッドは、つねにおたがいの脚本や、撮影のためのメモなどを共有しています。重要なキャスティングでは時間をかけて話し合いますし、編集の初期段階でも意見を言ったりと、作品全体のプロセスを2人で経験しています。“俳優”としても協力し合っていて、私の新作をロンドンで撮影していたとき、デヴィッドもたまたまロンドンにいたので、犬を散歩させる人物として登場してもらいました。実際に撮影したのですが、残念ながら本編ではカットせざるをえなくなり、彼は不満そうでしたが（笑）。私が演出した別のTV用の作品でも、デヴィッドがどこかで俳優として顔を出せないかアイディアを考えたりして、そのような行為は私たちの日常風景になっています。

——本作はA24が配給を手がけています。彼らとのパートナーシップについて聞かせてください。

F　A24は映画関係者や映画ファンにとって、ある種の絶対的なブランドです。私は彼らが製作し、配給する映画が大好きで、A24という名前だけで観る映画を選んでしまうほど。できることなら私が彼らにお金を払ってでも、一緒に仕事をしたいと思っていました（笑）。そんなA24が『ネバー・ゴーイン・バック』に興味を持ってくれて感謝のしようがありません。映画が完成してからの関与ですが、予告編を編集し、ポスターなどビジュアル面などマーケティングの部分でつねに正しいチョイスをしてくれたと感じます。彼らのサポートがなければ、本作がここまで人目に触れることはなかったでしょう。この幸運な出会いを役立てるために、A24とは今後も一緒に映画を作りたいと願っています。実際に執筆中の脚本を相談したりして、可能性を探っているところです。

――『ネバー・ゴーイン・バック』の後、Netflixの下で2本目の長編作『愛しい人から最後の手紙』も完成させ、キャリアも順調のようですが、もともと映画監督を目指していたのですか。

F　実は違うんです。父と祖父の影響で子供時代から歌うことが大好きでしたが、私はけっこう〝あがり症〟だったので、それを克服するために演技のクラスに通い始めました。それをきっかけに俳優として仕事をするようになったのです。やがて映画が魔法のように作られていく現場自体を楽しむようになって、自分のアイディアを作品にしたいという漠然とした気持ちが生まれました。でもどうしていいか分からず（夫の）デヴィッドに相談したところ、まず短編映画の制作を勧めてくれたのです。脚本の基本的な形式を彼から学び、私は短編を撮り始めたところ、興味をもってくれる人もチラホラ現れました。そして現在に至る……という感じです。基本的にオファーを待つことが仕事の俳優業と違い、自分の方向性を組み立てることができる監督業はやはり魅力的ですね。

――これから映画監督を目指す人に、何かアドバイスはありますか。

F　映画を作るうえで自己満足に陥ってはいけません。ただ一方で、諦めてしまったら何も結果を残しません。大切なのは、不快なことにも恐れを感じないこと。もし監督を目指す人がいたら、もちろん努力も大切ですが、私のように自分の人生を題材に物語を書いてみるのはどうでしょう？　それを映画で観たいと思う人は、意外といっぱいいる気がしますから。

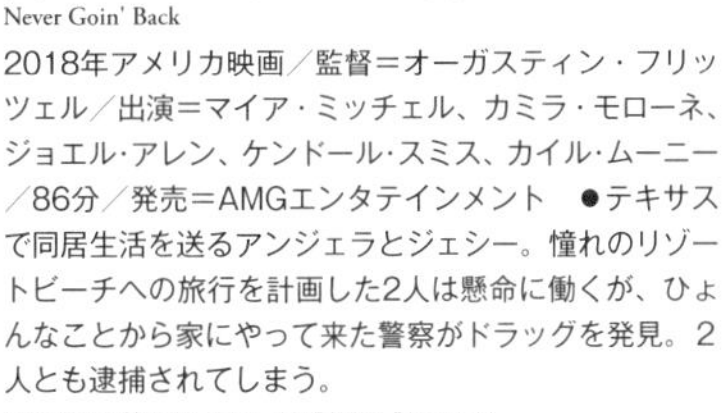

『ネバー・ゴーイン・バック』

Never Goin' Back

2018年アメリカ映画／監督＝オーガスティン・フリッツェル／出演＝マイア・ミッチェル、カミラ・モローネ、ジョエル・アレン、ケンドール・スミス、カイル・ムーニー／86分／発売＝AMGエンタテインメント　●テキサスで同居生活を送るアンジェラとジェシー。憧れのリゾートビーチへの旅行を計画した2人は懸命に働くが、ひょんなことから家にやって来た警察がドラッグを発見。2人とも逮捕されてしまう。

『荒野にて』アンドリュー・ヘイ監督

文＝猿渡由紀

『荒野にて』の原作は、2010年に出版された小説「Lean on Pete」。監督と脚色を手がけたアンドリュー・ヘイは、この小説が持つ繊細さと優しさに強く心を惹かれた。

「とても悲しくて、感情移入できる物語。主人公チャーリーは、家を求めている。安定した生活、成長できる場所を。これは、国境を越えて共感できる話だと思った」

幼い頃、母に捨てられ、経済力のない父と暮らす少年チャーリーは、年老いた競走馬リーン・オン・ピートと心を通わせる。そんなある日、父が死に、ピートも殺処分されると知ると、チャーリーは無断で馬を連れ出し、一緒に旅に出る。

この映画の2年前には夫の昔の恋について知った妻の心境を描く『さざなみ』で評価された。ストーリーや舞台設定はまるで違うが、ヘイに言わせれば、この2つの映画には大きな共通点がある。

「『さざなみ』は45年連れ添った夫婦、『荒野にて』は15歳の少年の話。だが、どちらもひとりの人間の心の旅を追う。そこは同じ。アメリカでロケをできるのも、この映画の魅力だったね。クルーにしても、キャストにしても、今回は『さざなみ』より大規模だった」

主役に抜擢されたのは、この映画の北米公開時に18歳だったチャーリー・プラマー。今作でベネチア国際映画祭の新人賞を獲得した彼は、同じ年の末にはリドリー・スコット監督の『ゲティ家の身代金』に、誘拐されるジャン＝ポール・ゲティ三世役で出

演し、さらに注目を浴びることになった。

「彼は明らかにこの役に最高の俳優だった。自分で撮影したオーディション動画を送ってくれる時に、心のこもった手紙もつけてくれたんだよ。それを読んだら、落とすことなんてできなくなったね（笑）。名前も同じチャーリーなんだ。そこもぴったり。彼は才能豊かな若い俳優。抑制のきいた演技ができる。僕はいつも、脆さ、弱さを繊細な形で見せる役者を求めている」

アンドリュー・ヘイ監督
Andrew Haigh

「とても悲しくて、感情移入できる物語」


人間のほかに、この映画には馬も多数登場する。馬を使う撮影には、独特の難しさがあった。

「しゃべらないけれども、馬は人間の感情を敏感に察知する。撮影現場に緊張感があると馬にも伝わるから、そこは気をつけていないといけなかった。予算は限られていて、競馬のシーンを何度も撮るわけにはいかない。脱走するシーンも1テイクでやったんだよ」

２０１７年のトロント国際映画祭で行われたこのインタビューで、ヘイは次の作品について「いくつか準備している。そのうちどれが次になるのか分からない」と言っていた。そのひとつは山田太一の「異人たちとの夏」を映画化する『異人たち』だったようで、これは12月に北米公開の予定だ。ここではどんなふうに心の旅が描かれるのだろうか。

『荒野にて』
Lean on Pete
2017年イギリス映画／監督・脚本＝アンドリュー・ヘイ／出演＝チャーリー・プラマー、スティーヴ・ブシェミ、クロエ・セヴィニー、トラヴィス・フィメル、スティーヴ・ザーン／122分／¥1,257（税込）／発売元＝ギャガ　●父親と二人暮らしのチャーリーは厩舎のオーナーから競走馬ピートの世話を頼まれる。騎手のボニーに馬を愛さないよう忠告されるが、ピートはチャーリーが唯一心を許せる存在だった。ある夜、父親が妻を寝取られたと疑う男に襲撃され、亡くなってしまう。引き取り手のいないチャーリーを心配し、養護施設に連絡しようとする医師を振り切り、チャーリーはピートの厩舎へと走る。だがレースに惨敗したピートがお払い箱にされると知り、ピートを乗せたトラックを盗み逃走する。チャーリーは孤独を抱きしめ、愛と居場所を求めてひたすら前へと進んでいくが。

『フロリダ・プロジェクト　真夏の魔法』ウィレム・デフォー

文＝猿渡由紀

演技の素人を中心にキャスティングをした『フロリダ・プロジェクト　真夏の魔法』で、安モーテルのマネージャー、ボビーを演じるウィレム・デフォーは、やや異色な存在だ。

「はっきりとは知らないんだが、おそらく僕の前に別の俳優が決まっていて、その人が降板したんだと思う。僕に声がかかったのは、撮影開始が結構近くなった段階だった。ショーン・ベイカーのことは、ひとつ前の映画『タンジェリン』を観て知っていたよ。彼がこの映画をどのように撮るつもりなのかを聞いて、すごく面白そうだと思った。一般人も使って、リアルな場所で撮影するというんだ。彼は、この事柄をどうして知ることになったのかも教えてくれたよ。時に映画のほうから僕に『これはやるべきだ』と叫んでくることがある。これはまさにそうだったね」

　モーテルの住民たちにしばしば悩まされるボビーというキャラクターに、デフォーは魅力を感じた。

ウィレム・デフォー
Willem Dafoe

「映画のほうから僕に『これはやるべきだ』と叫んでくることがある」

「ボビーはごく普通の人。特別の才能があるわけでもなく、すごく頭が良いわけでもない。大工仕事だってあまり得意ではない。だけど、大きな心を持っている。彼はこれらの人たちのひとりでもあるんだが、権威を持っている。モーテルを管理する責任があるが、住人たちへの同情もあるので、苦しい思いをしたりもする。だけど、僕はそういうことをいちいち考えなくてもよかった。裸で日光浴をしている女性を見たらどうする？　すぐに警察に電話はしないよね。彼は、『もうしないでくださいと言ったじゃないですか！』と怒る。脚本はとても現実的だった。役のためのリサーチで、過去に管理人だった男性と話したが、彼はあのモーテルを自分が来る前よりも良いところにしたことに強い誇りを持っていたよ。普通の人が何らかの貢献をしようと努力するのは美しい」

　子役との共演はいつでも難しいと言われるが、デフォーに言わせれば、この映画ではとくに苦労はなかった。

「ショーンがみんなで遊んでいるような雰囲気を作り出してくれたからね。そもそも子供というのは、お友達と一緒に『ごっこ遊び』をするのが好きだ。脚本は素晴らしい出来で、彼らはその通りに演じたが、時に即興をすることもあった。そうすることで、よりのびのびとした演技を引き出せたと思う。『ああ、こいつらはもう』と思うこともあることはあったが、それはボビーも感じることなんだと思う」

　出演オファーをもらうまで、この映画で描かれるような人たちの存在は知らなかった。デフォーはいつもポジティブな形で自分の考えを変えてくれる作品に惹かれる。

「常に何かを学びたい。学ぶことで、物事がより明確に見えてくる。今の時代、それはより大切だと思う。テクノロジーが僕らをゾンビみたいにしてしまったから。テクノロジーは人類の助けになるはずなのに、人と人を引き離すことになっている。だから、僕のその衝動は、以前よりもっと強くなった。演技という芸術形式を使って人が物事のあり方に疑問を持つ手伝いをしないなら、それはチャンスを無駄にしているということ。『今の世の中で何が起きているのか』と問いかける作品に、僕は強い情熱を感じる。『フロリダ・プロジェクト』は、間違いなくそのひとつだよ」

ショーン・バイカー監督

文＝猿渡由紀

ひとつ前の映画『タンジェリン』は、全編、iPhoneで撮影した。だが、ショーン・ベイカーは、『フロリダ・プロジェクト　真夏の魔法』を一転して35ミリのフィルムで撮っている。

「僕はフィルム、セルロイドが好き。それに『ああ、iPhoneの人ね』と言われることになりたくなかったし。今度は全然違うことをやりたかったのさ。『タンジェリン』は、その道を開いてくれたよ。あの映画が成功したおかげで、35ミリで撮影するための資金を得ることができたんだから。ノスタルジー、子供時代を感じさせるこの話は、35ミリで語るのがふさわしい。使える手段で映画を作るというやり方をしてきたおかげで僕の今のキャリアがあるわけだが、フィルムというものがなくならないために貢献したいとも思っている。今は『それはお金がかかる』という理由であっさり却下されてしまう時代であるだけにね」

『タンジェリン』ではトランスジェンダーの売春婦、『チワワは見ていた ポルノ女優と未亡人の秘密』ではポルノ女優を描いた。『フロリダ・プロジェクト〜』の主人公は、安モーテルに住み、売春で生計を立てるシングルマザーとその娘。社会で見過ごされているセックス産業の人たちを優しい目で見つめるのが、ベイカーの映画だ。

「僕の映画はどれも、自分自身が見過ごしてきた人たちについて語る。普通、映画で語ってもらえるのは、一部の人たちに限られている。だけど、映画で取り上げられない人は、たくさんいるんだ。僕はその人たちに焦点を当てたい。たしかに政治的、社会的メッセージはあるかもしれないが、それをガツンと突きつけないよう意識している。僕の映画を観てくれた人が『こういう人たちについてもっと知りたい』と思ってくれたら素敵だなと思うよ。ジョーダン・ピール監督の『ゲット・

アウト』はまさにそれをやっているよね。娯楽映画だが、観終わってから考えさせる。『フロリダ・プロジェクト〜』も、基本はやんちゃな子供のアドベンチャー映画。とりあえず、この子を見て笑ってもらいたい」

この映画のためのリサーチを始めるまで、安モーテルでギリギリの生活を送る人たちについては知らなかったという。

「共同脚本家のクリス・バーゴッチがこの問題について教えてくれたんだよ。ここで描かれるのは、隠れたホームレス。これは今や全国的問題。いや、全世界的問題だ。この人たちは、ホームレスになるギリギリ一歩手前。しかも、この安モーテルは子供たちのために作られたマジカルな場所、ディズニーワールドのすぐそばにあるんだよ。ここでこんなことが起きるなら、あなたの街でも起こり得る。それを知ってほしい。自分の街で何が起きているのか、ちょっと見回してみてほしいんだ」

『タンジェリン』では、演技の素人であるトランスジェンダーの女性を起用した。この映画でも、ベイカーは一般的ではない方法でキャスティングをしている。

『タンジェリン』の経験から、僕は、インターネット、ソーシャルメディアを使うキャスティングがあると知った。シングルマザーのヘイリーを演じるブリア・ヴィネイトは、その方法で見つけている。インスタグラムに、彼女がマリファナを吸ってダンスしている動画が投稿されていたんだよ。彼女はマリファナをやることを公言しているので、ここで言ってもかまわないと思う。その彼女の様子がとてもファニーで、僕は爆笑し、『この人こそヘイリーだ』と思った。見た目もヘイリーのイメージに近かったしね。もちろん、無名のアマチュアを起用するのはリスクが伴う。だが、ほかの人たちを考えはしても、結局彼女に戻っていったんだ。ハリウッド女優にここまでヘイリーの要素を兼ね備えた人はいないから。それで彼女にフロリダ州オーラン

ショーン・バイカー監督
Sean Baker

「僕の映画はどれも、自分自身が見過ごしてきた人たちについて語る」

ドまで来てもらい、娘役に決まっていたブルックリン・プリンスに会ってもらった。そうしたら2人はすごく意気投合したんだよ。そのオーディションテープを見た人はみんな、この2人の組み合わせが最高だと信じた」

ブルックリン・プリンスは、オーディションでこの役を獲得。別の子役ヴァレリア・コットは、ディスカウントショップ、ターゲットで母親と買い物をしていたところ、ベイカーに目をつけられた。そんな中、モーテルのマネージャーを演じるウィレム・デフォーだけはベテラン俳優だ。

「ウィレムが演じるマネージャーの役に関して、僕らは幅広い年齢を考えていた。リサーチで会ったモーテルのマネージャーたちには、35歳の人もいれば65歳の人もいたからだ。彼の名前が挙がった時、彼を否定する理由は何もないと思った。彼は有名ではあるが、それぞれの映画で変革してみせるし、この映画でも役になりきってくれるだろうと信じたんだ。実際、彼は素晴らしかった。自分でもリサーチをしてくれて、衣裳や必要なアクセサリーのリストを出してくれたよ。腕時計、ネックレスなどは、全部ウィレムの提案によるものだ。それに、彼はとても辛抱強い。6歳の子と共演するんだよ。でも、彼が怒ったりすることは一度もなかったね」

とても辛い状況をユーモアたっぷりに描くのも、ベイカーのスタイル。彼が言うには、それが現実だからだ。

『タンジェリン』を作る時、（主演に据えることになった）マイア・テイラー、キキ・ロドリゲス、彼女らの友人と過ごした。彼女たちは本当に楽しい人たちで、僕は話しながらいつも笑っていた。夜、家に帰っては、彼女たちの話は悲劇的なのになぜ自分は笑っていたのだろうと考えたものだ。そして、人は辛いことをユーモアで乗り切ろうとするからなのだと気づいたのさ。だから彼女たちの話は可笑しいんだよ。映画に彼女たちのユーモアを入れないならば、それは正直ではない。『タンジェリン』でそれをやって、僕は成功した。普通ならばこんなテーマの映画を観たくないと思う人たちも観てくれたわけだからね。今作も同じだ。ユーモアがなかったなら、それは正しくないんだよ」

『フロリダ・プロジェクト　真夏の魔法』
The Florida Project

2017年アメリカ映画／監督＝ショーン・バイカー／出演＝ウィレム・デフォー、ブルックリン・キンバリー・プリンス、ブリア・ビネイト、バレリア・コット／122分／Blu-ray＆DVD好評発売中、デジタル配信中／発売元＝クロックワークス　●6歳のムーニーと母親のヘイリーは定住する家を失い、“世界最大の夢の国”フロリダ・ディズニー・ワールドのすぐ外側にある安モーテルで、その日暮らしの生活を送っている。シングルマザーで職なしのヘイリーは厳しい現実に苦しむも、ムーニーから見た世界はいつもキラキラと輝いていて、楽しい毎日を過ごしている。しかし、ある出来事を機に、夢のような日々に現実が影を落と始める。

『20センチュリー・ウーマン』マイク・ミルズ監督

文＝斉藤博昭

――『20センチュリー・ウーマン』は、あなたの家族の過去を基にした半自伝的作品だそうですが、自身の家族を題材にするのは映画作家にとってオブセッション(強迫観念)のようなものなのでしょうか。

マイク・ミルズ（以下M） 確かにオブセッションの側面はあるかもしれません。人は誰しも家族に支配されているわけですし、監督としてその思いを自作で描きたくなる気持ちは十分に理解できます。ただし、自ら「家族を描くのはオブセッションでした」と告白すると、ちょっと怪しい人間だと勘違いされそうなので（笑）、もっと軽い気持ちで描いたと言っておきましょう。

――母ドロシーと、あなたの少年時代がモデルとなった息子ジェイミーの家には、部屋の間借り人も含めて多くの人が出入りしています。あなたの少年時代も同じような環境だったのですか？

M そうですね。我が家はゲストハウスのような一面があり、頻繁に人が出入りしていたわけではないですが、母がディナーなどで多くの人を呼んでいました。子供の教育方針などを賑やかに話し合っていた光景を今でも思い出します。よく来ていたパンクロック好きの女性がいて、彼女から私は音楽のことなどを学びました。その彼女と、私の実の姉をヒントにして生まれたのが本作のアビーというキャラクターです。僕の姉も写真を仕事にしてニューヨークへ行き、子宮ガンも経験しました。姉は10歳も年上なので、アビーのモデルにふさわしかったのです。幸い今も元気で、この映画を観て「うまく作ったわね」と喜んでくれました。演じたキャストと実際の家族は見た目も違いますから、1本の映画として広い心で理解してくれたようです。

――劇中ではドロシーがハンフリー・ボガートの大ファンであることが語られ、

マイク・ミルズ監督
Mike Mills

「人は誰しも家族に支配されているわけです」

「アズ・タイム・ゴーズ・バイ」の曲が使われるなど、映画『カサブランカ』へのオマージュが印象的です。

M 実際に僕の母は『カサブランカ』に夢中で、作品にまつわる書籍も読み漁っていました。もちろんボガートのことが大好きで、息子の僕は彼への愛をしょっちゅう聞かされていました。残念なのは母と一緒に『カサブランカ』を観られなかったこと。TVでよく流れていたはずなので、今となってはそのことが惜しまれます。

――そのほかに、あなたのお母さんから受け継いだものを、本作でどのように表現しましたか？

M 私と母は生きた時代が異なりますし、性別も逆。しかも彼女には秘密が多かったのです。私はどちらかといえばオープンな性格で、まわりくどいことはしません。その意味で人格も違いました。本作でさりげなく表現したのは、ボガートのマッチョでありながら負け犬にもなる側面に母が憧れていた点です。建築家だった彼女は自分の手を使って仕事をすることが大好きで、とにかくよく働きました。自分の話はあまりしなくても、家に仲間を呼んでワイワイ騒ぐのが楽しみで、この映画でドロシーが、大工のウィリアムに向ける恋愛感情も、「私の母だったら」と考えながら描いたつもりです。

――この映画のプロダクションデザインへのこだわりは、建築家だったお母さんとも関係していそうですね。

M 両親ともに〝家〟にこだわる人でした。そこで生活するという目的に加え、とにかく内部のセンスに執着していたのです。人が住めなくなっていた古い家を、自分の手でリフォームするのも好きで、そこに母の負け犬的気質が反映されていたようです。今回、かつての私の家によく似た物件をロサンゼルスで見つけ、撮影に使うことができました。母が観たら、喜んでくれたと思います。

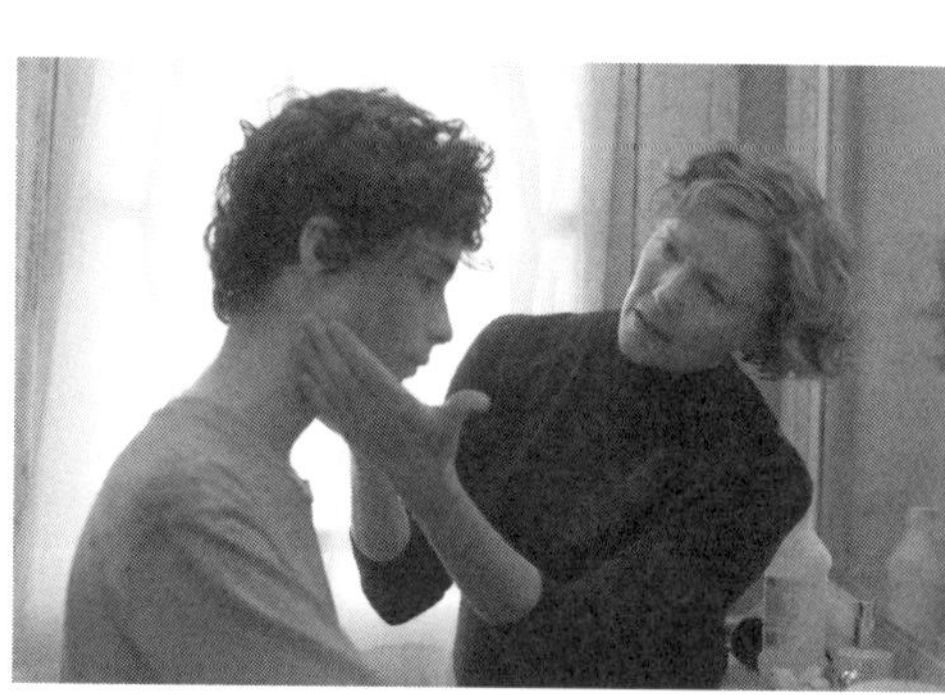

――あなたの親の世代の嗜好は、インテリアにも表れています。

M 私の両親世代にとって、自由奔放なテイストは人生から切り離せないようです。一見、どこかローカルな味わいなこのセンスは、実はインターナショナルなものだと確信します。そんな両親の嗜好はミッドセンチュリーのデザインにもおよび、私の家にはイームズやアレキサンダー・ジラードの家具が置かれていました。イームズに関しては、私がデザイン関係の講師を務めた際に、彼らの短編ドキュメンタリーを題材に使ったりして思い入れも深く、今回の映画でもイームズの家具を使っています。

――作品の背景が1979年で、あなた自身は13歳でした(ジェイミーは15歳という設定)。当時、どんなカルチャーに影響を受けていましたか?

M やはりパンクロックですね。初めてパンクを聴いた時、自分のためにならない社会のルールから解放された気分になりました。当時好きになったザ・クラッシュの「ロンドン・コーリング」は今も日常的に聴いています。トーキング・ヘッズの初期の4枚のアルバムも含め、パンクのルールを壊すのもパンク、つまり同じことを続けていたらパンクじゃないことを学びました。当時、ビートルズ、ザ・ローリング・ストーンズを聴くことは、パンク精神では、ある種の〝違法行為〟でしたから、それらは20代になってから聴くようになりました。今から思えば、クラシックのモーツァルトやリスト、さらにジャズに10代から親しんでいたら、音楽に関する別のセンスも育まれたかもと、ちょっぴり後悔しています。

――本作の際に触発された映画や、あなた自身が最も好きな映画について聞かせてください。

M その質問に一瞬で思いついたのは、『コヤニスカッツィ』ですね。ストーリーというのものがほぼ皆無にもかかわらず、ただ観ているだけでその時間が幸せなものになる。実に美しい映画です。本作に関しては、フェデリコ・フェリーニの『8 1/2』や『フェリーニのアマルコルド』でしょうか。社会に関係なく、自分を投影する印象が近いと感じます。特定のプロットが存在せず、語り手が複数いて、ある時代の人々のポートレイトにする方向性で、脚本を書く際にフェリーニの2作は参考になりました。個人的なドラマで万華鏡のような多彩なテーマを包括させるという意味では、ジャン=リュック・ゴダールの影響もあるかもしれません。

『20センチュリー・ウーマン』
20th Century Women
2016年アメリカ映画/監督・脚本=マイク・ミルズ/出演=アネット・ベニング、エル・ファニング、グレタ・ガーウィグ、ルーカス・ジェイド・ズマン/119分/DVD発売中/発売元=VAP
●シングルマザーのドロシアは、思春期を迎える息子ジェイミーの教育に悩んでいた。ある日ドロシアはルームシェアで暮らすパンクな写真家アビーと、近所に住む幼馴染で友達以上恋人未満の関係のジュリーに「複雑な時代を生きるのは難しい。彼を助けてやって」とお願いする。15歳のジェイミーと、彼女たちの特別な夏がはじまった。

『ルーム』
レニー・アブラハムソン監督

文＝猿渡由紀

レニー・アブラハムソン監督の『ルーム』が世界初上映されたのは、2015年9月のテルライド映画祭。そこで大絶賛を浴びたことで、すぐその後のトロント映画祭でも「見逃してはいけない映画」とささやかれ、記者たちの注目を集めることになった。その勢いはそのままオスカーまで続き、ブリー・ラーソンは見事に主演女優賞を獲得している。

「今作にはA24がついてくれている。彼らはとても優秀だ。こういった映画は、観客に『発見』してもらわないといけないと、テルライドにまず持っていくことになったんだよ。初上映する前は不安だったが、映画を観た複数の人たちから『感動しました』と言ってもらえた。おかげで、自分でも、これは一般受けする映画なのかもしれないと思えるようになったんだ」

原作は、エマ・ドナヒューが書いた小説。主人公は、ひとつの部屋に監禁された女性と、幼い息子。息子は外の世界を一度も見たことがない。悲しいことに、似たような例は現実の世界にもある。

「現実の世界で起きた事件にインスピレーションを得てはいても、原作は特定のケースを下敷きにしてはいない。実際にそういった事件の被害に遭った方々に敬意を払うためにも、僕らもそこは重視した。だから残酷なシーンは見せないし、センセーショナルな映画にはしなかったんだ。それでも、僕とブリーはいろいろな事件をリサーチしたよ。事件はそれぞれ違っていたが、解放された人たちがどうやって再び普通の生活に戻ったのかというところには共通点があった」

ラーソンとはほかにも多くのことを話し合った。

「ブリーがまだ経験していなくて、僕は経験していることのひとつに、親になるということがあった。子供を持つというのは時にいかに大変かを、僕はブリーに話したよ。自

分の行動が子供の未来に影響を与えるかもしれないという恐怖を、親はいつも持っているんだ。『ルーム』は、究極の状況でそれを見せる。そしてブリーは自分の子供時代について語ってくれた。彼女は小さなアパートで育ち、あまりお金がなかったので、自分で娯楽の方法を探さなければいけなかったそうだ。つまり、映画と少しつながるところがあるんだよ。僕らは事前に一緒にたっぷりと時間を過ごした。子役にジェイコブ（・トレンブレイ）が決まってからは、ブリーとジェイコブが一緒に過ごす時間も十分に作った。そこで築かれた関係は、スクリーンに反映されていると思う」

この役を得た時、トレンブレイはまだ7歳。大規模なオーディションの中から選ばれただけのことがある才能に恵まれている。だが、子供から最高のものを引き出すには、大人の協力と手腕が必須だ。

「どんなに優れていても、子供は途中で飽きたりするもの。完成作に使用されなかった映像を見たら、僕が絶え間なく、あらゆる形で彼に語りかけているのが分かるはずだよ。ブリーもすごく頑張った。カメラが回っていても、ブリーはジェイコブに『もうちょっと右に寄ろうか？』などと話してくれたんだ。そんな気遣いをしながらも、彼女は完璧な演技をやってくれたのさ。寛大な性格を持つ、熟練した役者じゃないとできないことだ。とにかく、子役との仕事には辛抱強さと集中力が必要なんだよ」

レニー・アブラハムソン監督
Lenny Abrahamson

「今作にはA24がついてくれている。彼らはとても優秀だ」

『ルーム』
Room

2015年アイルランド・カナダ合作映画／監督＝レニー・アブラハムソン／出演＝ブリー・ラーソン、ジェイコブ・トレンブレイ、ジョアン・アレン、ウィリアム・H・メイシー／118分／発売元＝カルチャ・パブリッシャーズ、販売元＝ハッピネット　●閉じ込められた〝部屋〟で暮らす、母親とジャック。２人にとってはこの〝部屋〟がすべてだった。５歳の誕生日を迎えたジャックに、ママは本当の〝世界〟を見せるため、脱出計画を図る。

文　葵 景
樺沢紫苑
斉藤博昭
猿渡由紀
清水 節
長坂陽子
吉川優子

デザイン　大谷昌稔（大谷デザイン事務所）

写真　アフロ

協力　AMGエンタテインメント／Apple TV＋／インターフィルム／
カルチュア・パブリッシャーズ／キノフィルムズ／ギャガ／
クロックワークス／TCエンタテイメント／
博報堂DYミュージック＆ピクチャーズ／はせがわいずみ／
ハピネットファントムフィルム・スタジオ／VAP

FLIX SPECIAL
アリ・アスター監督×ホアキン・フェニックス　最狂コンビの挑戦状

2024年2月11日　第1版発行

編者　フリックス編集部

発行人　唐津 隆

発行所　株式会社ビジネス社
〒162-0805　東京都新宿区矢来町114番地　神楽坂高橋ビル5階
電話　03（5227）1602（代表）　FAX　03（5227）1603
https://www.business-sha.co.jp

印刷・製本　半七写真印刷工業株式会社

編集担当　松下元綱　藤沢ともこ

営業担当　山口健志

ISBN978-4-8284-2603-7